ORGANOTOPIA

UNA NOVELA CYBERDICK

SCOTT MICHAEL DECKER

Traducido por

ANDREA IBARRA

Publicado en 2021 por Next Chapter

Arte de la portada por CoverMint

Editado por Santiago Machain

Textura de la contratapa por David M. Schrader, utilizada bajo licencia de Shutterstock.com

Edición de Letra Grande en Tapa dura

AGRADECIMIENTOS

Gracias a los siguientes lectores de la versión beta:
Anne Potter
Charlotte Wilby
Michael Clancy

CAPÍTULO UNO

Liene Ozolin deslizaba su mirada a través de la ciudad que tenía debajo, el viento tirando de su ropa, golpeándola como para sacarla de su percha.

No sería malo que se cayera y muriera, pensó, una mancha en la acera, una mancha de grasa en el pavimento. A menudo venía aquí después de un encuentro, esperando que el viento pudiera quitarle la mancha de lo que hizo, la mancha de vergüenza en su alma.

No era como si la trataran irrespetuosamente. De hecho, le concedieron la deferencia dada al mensajero de Dios. Y el sueldo era lo suficientemente bueno como para que pudiera permitirse el lujoso pent-house debajo de ella. Un solo vistazo dentro era todo lo que alguien necesitaba para ver la ostentación, para disfrutar en envidia del privilegio que disfrutaba.

Y sin embargo...

Los dedos fríos del viento llegaron a las cámaras calientes y avergonzadas en su corazón, acordes y unciones, tomando parte del arrepentimiento de lo que había hecho. Aquí arriba, Liene a veces podía olvidar lo que hacía y bloquear de su mente el hecho de que cuando la llamaran de nuevo, ella cumpliría sus órdenes tal como siempre lo había hecho, y le entregaría a su empleador uno de los dos productos más preciados que se encuentran en la galaxia.

Un Ofem diseñada con vesículas especializadas en la boca y la vagina, Liene era un coleccionista. Una manera suave y una mezcla impecable complementaban una belleza seductora y un cuerpo perfecto. Ella estaba equipada para hacer una cosa y una cosa bien: Recolectar semen.

—¿Liene? Llamó una voz desde abajo.

La Ofem suspiró, queriendo que la dejaran en paz.

"Has estado allí un largo tiempo."

Ella tiene razón, pensó Liene, su desesperación más generalizada esta vez. Al no poder encontrar un alivio, bajó del tejado y se dejó caer ágilmente al balcón. Iveta la envolvió con un suéter de espera, como de costumbre, y la acompañó dentro.

El aroma del té recién hecho llegó hasta Liene mientras entraba en la puerta. Cortinas hechas de tafetán cayeron de nuevo en su lugar mientras la puerta se deslizó detrás de ellas. Las alfombras Reales Ilurak cubrían el suelo de Tinglit-parquet. Obras de los maestros de la abstracción del siglo pasado adornaban las paredes. El mobiliario era un diseño coordinado Zulamin segmentado, el sofá unido en forma de u alrededor de la sala.

Acostada, Liene se entregó a las ministraciones de su esposa, té caliente y caricias cálidas ahuyentado la noche fría.

—Esta noche fue una mala, ¿no? Iveta preguntó.

Casi nunca pregunta, pensó Liene. A veces el encuentro era así, cuando los recuerdos se sellaban en su cerebro, su cliente le impresionaba de manera duradera, ya sea por su absoluta indiferencia hacia su persona o por su comportamiento suave y renuente. Los Bremales casi siempre la encontraban seductora, y a menudo la solicitaban repetidamente. Algunos con los que ella llevaba años.

El encuentro de hoy había sido alguien que nunca había conocido, un Bremale mayor, su esposa Ifem estando cerca, su cara y su actitud apestando a culpa y vergüenza. Para este encuentro, se había dejado la ropa puesta, exponiendo lo suficiente de su cuerpo para darle acceso. Una vez que él entregó su material, ella había acomodado su ropa y se había ido sin decir una palabra más, el Bremale desconsolado, su esposa blanca de furia.

Liene rara vez se sentía tan mancillada. Un acto

que antes se consideraba una alegría sagrada ahora se redujo a la mecánica de intercambio, su santidad fue reemplazada por la mortificación. Ella no culpó a la esposa por permanecer cerca, como para asegurar que no ocurriera un momento de intimidad entre ellos. Tampoco culpó al Bremale por la brevedad de su coito, aquel hombre mayor que entregó en cuestión de minutos.

Fue una de las pocas ocasiones en que la perfección de su belleza había ido en su contra. Su aspecto admirable, casi perfecto había magnificado la degradación del Bremale y los celos de Ifem. Su desesperación y tortura, estos dos, un marido Bremale y una esposa Ifem enamorados el uno del otro, perturbaron a Liene.

—Sospecho que no volveré, —dijo Liene, dándose cuenta de que había estado en silencio durante mucho tiempo. —Probablemente me pedirán que no vuelva.

—¿Pasó algo?

Liene negó con la cabeza, indicando que no quería hablar de ello. Todo lo que quería hacer era olvidar.

—¿Qué puedo hacer?

—Acuéstate a mi lado, déjame abrazarte.

Iveta bebió su té y lo dejó a un lado, y luego hizo lo que Liene le pidió.

Sosteniendo a su esposa, Liene tuvo consuelo con

la sensación de Iveta contra ella, pero sólo brevemente.

Su mente pronto regresó a la horrible escena que pasó más temprano en el día, la Ifem tratándola con desdén apenas contenido, su mirada rastrillando el cuerpo de Liene, tan provocativa en las prendas apretadas de su piel, cada curva perfecta enfatizada.

Iveta, se dio cuenta, estaba temblando. "¿Qué pasa, amor? ¿Qué está pasando?"

—¡Lo odio! —gritó su esposa a través de los dientes afilados. Cuando levantó la cara del hombro de Liene, estaba llena de lágrimas. —Odio la forma en que te alejan de mí. ¡No está bien! ¡Estarás preocupada por semanas! Fría, distante. ¡Es mejor que ni siquiera estés aquí! Iveta se levantó y se acercó al balcón, con los hombros encorvados y temblando.

Sus suaves sonidos sollozos se hundieron en las cámaras de la vergüenza de Liene. La habitación se desdibujó, y el calor corrió a través de su cara como la llama a través de la yesca seca de hueso. ¡No tenía ni idea! Liene pensó, horrorizada, la reacción de su esposa una sorpresa completa. Pero cuando miró hacia atrás a través de los años, Liene se dio cuenta de que las señales habían estado allí todo el tiempo. Las miradas preocupadas y furtivas, la ligera tensión en su voz, la línea de tensión en los hombros. Simplemente no había visto las señales, tan envuelta en su propia miseria que no había notado la desesperación de su esposa.

Liene fue a ella, la luz a través de las cortinas rebotando de las lágrimas de Iveta. "Lo siento mucho."

—¡Aléjate de mí, perra! ¡Te odio cuando te comportas así!

Dolida, Liene retrocedió hasta la puerta, que se deslizó a un lado, las cortinas de tafetán se amontonaron. El viento se arremolinaba vigorosamente a su alrededor a través de la puerta abierta. Liene miró más allá de su esposa a su lujoso pent-house, sin ver la ostentación, viendo sólo la desesperación de la que se derivaba. "¿Qué quieres que haga?"

¡Ve a meditar en tu techo, idiota! ¡Quítate de mí vista!" E Iveta corrió desde la habitación hacia el pasillo. Una puerta se cerró, pero incluso a la vuelta de la esquina y a través de la puerta, sus sollozos estrangulados se aferraron al corazón de Liene.

Tiene razón, pensó la Ofem, recurriendo a mirar hacia fuera sobre la fría ciudad.

El viento llevó a Liene fuera, con sus dedos fríos encontrando su camino debajo de su ropa.

Miró la escalera hasta el techo, donde iba tras cada encuentro, donde parecía su tiempo a solas, protegida de la humanidad y sus demandas degradantes, era su único alivio del terrible peaje tomado por la función para la que había crecido.

Un receptáculo de esperma Bremale, eso es todo lo que soy.

Se encontró escalando la escalera de incendios, su cuerpo la llevó por la escalera contra su voluntad.

Iveta tenía razón. Fue por eso que vino aquí, para ahorrar a su esposa las profundidades de su vergüenza y humillación, para mantener los horrores de lo que hizo fuera de su relación.

Si eso fuera posible, pensó Liene, el viento tirando de su ropa.

No sería malo que me cayera y muriera.

Una mancha en la acera, una mancha de grasa en el pavimento.

El detective Maris Peterson salió de un magnamóvil y observó la escena. El vehículo cerró la puerta y se fue para buscar a su próximo cliente.

Un recinto oscurecía el punto de impacto en la acera. Inmediatamente, inclinó la cabeza hacia atrás para medir la distancia desde la parte superior, un poco de instinto primitivo que conducía la mirada.

Ocho, nueve pisos, por lo menos. Maris se agachó bajo la cinta policial y entró en el recinto. Miró por encima del hombro de la forense a la pila de carne en la acera. "¿Qué te parece, Urzula? ¿Fue empujado, cayó, o saltó?"

—No es mi trabajo, Detective, —dijo la forense, mirando hacia arriba de su trabajo, una Holo-cámara con ojos de bicho en su hombro que registraba cada movimiento. —La causa de la muerte es la razón por la que estoy aquí. Urzula Ezergailis no dijo varias palabras, sino que las molió a través de los dientes.

—Oh, vamos, Urzula, especula un poco. Deja que tu imaginación deambule libre de tu mente de trampa de osos. Maris la provocó, los dos han trabajado sus respectivos lados en decenas de casos.

—Traumatismo contundente, entregado a la velocidad de una acera de nueve pisos hacia arriba. Tú te encargas de la física, Peterson.

Maris había estado de camino a casa cuando había recibido el "neuracom" (comunicación mediante dispositivos avanzados implantados), la muerte lo suficientemente sospechosa como para investigar si había sido un asesinato. Fue la sospecha que lo trajo, nada más. "Identidad", murmuró en su "trake" (micrófono implantado en la tráquea para recibir el neuracom).

La demografía de la víctima al frente de él era: Ofem, de treinta y cuatro años, diseño especializado para los oficios de placer, pero con un cambio. Era un banco de esperma ambulante, vesículas en la boca y la vagina diseñadas para contener el semen en éxtasis hasta que pudiera entregarse al laboratorio, donde sería extraído y almacenado en criogénico de cero kelvin. Dentro de la demografía estaba su situación socioeconómica: Pudiente, casada, vivía en un penthouse.

Su mirada fue de nuevo a la línea del techo, nueve pisos hacia arriba. Como un palacio, lo sabía, sin siquiera mirar en la puerta. Sospechoso, lo sabía, sin siquiera entrevistar al cónyuge. "¿En qué ángulo, Urzula?"

—Cabeza primero.

Indicando un salto, pero no concluyente. —Estaré allí arriba si me necesita, forense.

—No te necesitaré, Detective.

—Cálida y agradable como un glaciar, Urzula, eso es lo que me encanta de ti.

—Vete a la mierda, Maris.

Él entró en el edificio. El revestimiento de mármol con ribete cromado adornó los pasillos. La barandilla de la escalera fue forjada a partir de la madera de escarabajo, a los pasos del travertino de Worliam. Fue el primer piso sólo para hacerse una idea del edificio. Nuevo dinero mezclado con viejo en este rascacielos, los pisos de propiedad en lugar de alquiler, los inquilinos prohibidos de tener inquilinos por convenio, estaba seguro. "Inquilinos", murmuró en su trake, y su demografía se presentó.

—¿Noveno piso o techo, señor? —preguntó el oficial en el ascensor, el equipo de investigación ya lo había comandado.

—Noveno, —dijo, viendo botones para nueve plantas y el sótano. Debajo de los botones había un sensor; el techo, Maris adivinó. El ascensor era tan lujoso como el viaje a la novena planta fue silencioso. Estuvo allí casi antes de subir. Desequilibrado, consideró, ocho pisos sin la sensación de movimiento.

Sólo había una puerta en el vestíbulo del pent-house, y estaba abierta, un uniforme al lado. A los pies del oficial había cuatro pares de zapatos. Los lamentos venían de dentro, golpeándolo como un tambor cuando se bajó del ascensor. Revisó la demografía de la víctima otra vez. Oh, una esposa, algo que se había perdido la primera vez que había mirado.

—¿Cuánto tiempo ha estado así? —preguntó al uniforme en la puerta.

—Desde que llegué aquí a las mil ochocientas horas, —dijo el oficial de patrulla.

Le dio una breve mueca. —¿Aska está en camino?

—Sí, señor, así es.

—Que me interrumpan. Era tan agradable como el forense. Maris miró de nuevo a los cuatro pares de zapatos en el vestíbulo.

La calidad del sonido era tanto una indicación de ostentación como la forma en que el pent-house estaba amueblado. Sin ecos, casi nada a través de las paredes, y estaba seguro de que el suelo y el techo eran impermeables. Todo eso significaba aislar y aislar. Incluso la decoración aisló a los ocupantes del terrible mundo que se arremolinaba a su alrededor.

Encontró a la cónyuge en la sala de estar. En el balcón más allá de una puerta de vidrio deslizante había un equipo forense, cortinas de tafetán lo suficientemente diáfanas como para oscurecer lo que estaban haciendo, pero lo suficientemente transparente como para dejar entrar abundante luz.

Ella estaba sentada en una sección, con los codos en las rodillas, la cara enterrada en sus manos, un lamento encontrando su camino entre ellas. Sus pies estaban descalzos.

—¿Iveta Roztis?

Ella se sacudió erguida como si hubiera sido golpeada, el lamento cesó.

—Detective Maris Peterson. Se metió su placa en el bolsillo. —Lo siento por su pérdida. Vio que habían estado casados diez años, atando el nudo poco después de la emancipación de la víctima, algo que los Ofem habían ganado en tiempo meteórico.

—¡Usted no tiene ni idea!

En otras circunstancias, habría ignorado esas palabras.

El sollozo se reanudó de nuevo, el rostro plantado en las manos.

Ella merece el beneficio de cualquier duda, Ohume (clones) o no, se dijo a sí mismo. Iveta es desempleada, el pent-house y su ostentación habían sido suministrados únicamente por la víctima. Incluso había comprado el contrato de Iveta. Maris miró a su alrededor, sabiendo que Iveta carecía de los recursos para mantener el estilo de vida. Una doble pérdida.

—¿Qué pasó? —preguntó por debajo de la pena lúgubre.

Ella pudo controlar sus lamentos, se limpió la cara, sacudió la cabeza, dio un sollozo, y suspiró. "Ella volvió de un encuentro, perturbada. Ella odiaba su trabajo. Yo odiaba su trabajo". Iveta finalmente levantó su mirada hacia él. "Entonces discutimos, y me fui al baño. Cuando salí, vi que había vuelto al techo".

—"¿Vuelto?"

—Ella iba allí a menudo, casi siempre lo hacía después de un encuentro. La llamé para bajar, pero... E Iveta se desintegró en su dolor delirante.

—¿Señor? Un técnico intervino desde el balcón. —Tienen algo en el techo. Señaló sobre el hombro del detective, indicando el ascensor.

—Una pregunta más, Iveta. No llevas zapatos. ¿Es costumbre en su hogar quitarse los zapatos antes de entrar en la casa?

La mujer asintió con la cabeza, la cabeza enterrada en las manos, el lamento sin cesar.

—Por favor, llámame si hay algo que pueda hacer.

El lamento se levantó una octava.

Dejó una tarjeta en el sofá a su lado y escapó al vestíbulo.

El duelo estaba saliendo a medida que se subió. "Oye, Maris, fractura expuesta, así parece, ¿eh?" dijo Aska Gulbis, Consejera de Duelo y Capellán de la Policía.

—Ellas discutieron anteriormente, Aska. ¿Y viste que la víctima compró el contrato del sobreviviente justo antes de casarse? Una gota extra de culpa escarchando su pastel de duelo de doble capa.

La capellana dio un guiño. "Gracias, Maris. Deséame suerte."

La vio entrar en el pent-house. Gulbis no había preguntado por culpabilidad, nunca lo había hecho y nunca lo haría. Nunca dejó que esas preguntas nublaran su trabajo. Al subir al ascensor, Maris admiraba su habilidad para dar compasión. "Techo, por favor", le dijo al oficial.

Allí, dos técnicos forenses en trajes de materiales peligrosos se arrodillaron cerca del borde del techo. "Protoplasma, señor", le dijo uno sobre su hombro.

Ambos técnicos se alejaron cuando se acercó y se arrodilló. Miró el pequeño charco de líquido marrón rojizo en el suelo áspero junto a su rodilla. Maris había oído el término antes. "¿Proto? ¿De qué es eso una mezcla?"

"Ochenta y dos por ciento de oxígeno, trece por ciento de hidrógeno, cuatro por ciento de nitrógeno, dos por ciento de calcio, y una variedad de otros minerales en trazas."

Maris levantó la mirada a la tecnología femenina, que parecía buscar incluso en materiales peligrosos. "Sin carbono." No era una pregunta. Las nanoquinas (máquinas que miden nanómetros) desmontan compuestos orgánicos en sus componentes moleculares, incorporando carbono liberado en nuevos nanoquinas.

—No, señor. Proto puro.

Se puso de pie, sin atreverse a inclinarse lo suficiente como para ver el punto de grasa en la acera de abajo. Un momento de desequilibrio llevaría a cualquiera al límite. "Urzula" dijo en su trake.

—¿Sí, Maris? —respondió ella, su voz en su coca, su imagen en su pantalla.

—Haga un análisis de contenido allí abajo, forense, particularmente en los pies. Creo que tenemos un asesinato.

—Empujada, ¿eh? —preguntó Urzula.

—Por nanoquinas, no por la cónyuge.

CAPÍTULO DOS

Eduard Sarfas miró por el laboratorio una vez más antes de salir por la puerta. Silbó detrás de él, su día en Sabile Nanobio Research en Tartus IX, como la puerta, llegando a su fin.

Los largos pasillos estériles del Instituto mostraban su compromiso con las zonas de trabajo libres de contaminantes, todos los empleados eran examinados a la llegada y salida por nanoquinas. Era todo lo que Eduard hacía: buscar nanoquinas o evidencia de ellas, y derivar medios cada vez más eficaces para hacerlo. No es que ninguno de nosotros obtenga los recursos que realmente necesitamos, pensó, las presiones presupuestarias agravadas por el aumento de las demandas. Sabile Nanobio produce los nanotectores más sofisticados de la Coalición, pensó, pero sólo estamos criando mejores nanoquinas.

"¡El presupuesto nunca maneja a la política!" Su jefe había tronado en una ocasión, cuando Eduard había sugerido dinero adicional que correspondería con las demandas adicionales.

Pero por eso Eduard trabajaba en el laboratorio, y no en administración.

Su esposa y él vivían en un apartamento que compartían solos, sin hijos. Los Ihumes (humanos infértiles) no podían tener hijos. Ya nadie parecía tener hijos. ¿Cuántos Brehumes quedan? se preguntó, sin saber, tal información se mantenía vigilada de cerca. Su número no era publicado. Si lo supiéramos, todos nos rendiríamos en la desesperación y entregaríamos la galaxia a Ohumes. Eduard no podía pensar en ello. Se deprimía demasiado.

Los Ohumes superaban en número a Ihumes casi nueve a uno y se fabricaron a partir de impresiones genéticas guardadas en crio contenedores de cero kelvin. Los Ohumes ya no necesitaba a los Ihumes para perpetuarse. Y no había suficientes Brehumes (humanos nodrizas) para mantener el número de Ihumes.

Estamos condenados, pensó Eduard, suspirando mientras caminaba por el largo pasillo hacia descontaminación.

Su pie se deslizó dentro de su zapato, y al principio pensó que era un momento de vértigo. Su siguiente paso puso su peso en un pie medio pulgada más delgado de lo que había sido. Un líquido se amontonó a través de los cordones y alrededor de sus tobillos.

¡Nanoquinas! Eduard pensó. Su mano saltó a la alerta de contaminación alrededor de su cuello. Las luces estroboscópicas parpadearon y las alarmas sonaron en toda la instalación. Puertas a prueba de máquinas se cerraron en su lugar. Su corazón martillaba en sus oídos, gotas de sudor sobre su frente, y su estómago anudado.

¿Dónde he fallado los procedimientos de seguridad? se preguntó, mirando con incredulidad petrificada como sus pies desaparecieron en charcos de proto. Cayó de rodillas, con los pies incapaces de apoyarlo. Rodó y miró hacia sus tobillos, que se derritieron mientras observaba. ¿Por qué no duele? se preguntó. Nadie había dicho que no dolería.

El agua que conforma el setenta y cinco por ciento del cuerpo humano lavó casi todos los otros oligoelementos a medida que las nanoquinas lo comieron lentamente hasta las piernas. ¿Por qué no se encienden los nanosupresores? se preguntó. Las espigas de espuma en el techo, sin responder, como si no pudieran detectar los nanoquinas comiéndole las piernas.

Eduard sabía que perdería el conocimiento por la pérdida de sangre poco después de que las nanoquinas llegaran a sus arterias femorales. La licuefacción alcanzó su pierna media-inferior, el líquido espeso aumentando, la desintegración bilateral que indica un esfuerzo coordinado de nanoquinas.

Entonces se le ocurrió: he sido infectado deliberadamente, pensó. ¿Pero cómo? se preguntó, sabiendo que se había adherido a todos los procedimientos de seguridad, sabiendo que había sido atacado.

¿Pero por qué?

No fue como si su investigación de bajo nivel estuviera haciendo un impacto significativo en evitar la intrusión de nanoquinas. El suyo fue principalmente el trabajo gruñón de la experimentación de laboratorio, la fabricación de componentes y verificando las especificaciones, perfeccionando las sensibilidades quimio espectrales. Hacía muy poco desarrollo original.

¿Y quién?

¿Quién querría impedirle llevar a cabo su trabajo en Sabile Nanobio?

Los nanoquinas llegaron a sus rodillas, y su vista comenzó a nublarse. Un charco de líquido marrón rojizo permaneció donde habían estado sus piernas, los nanoquinas comiendo a través de su pantalón, licuando las fibras de carbono en su ropa.

Eduard se acostó, el corredor comenzaba a deformarse, el sonido de las alarmas fuera de tono mientras se regresaba a través de su conciencia, los colores están todos erróneos y oscureciendo, oscureciendo hacia el negro del olvido, bajando su presión arterial.

¿Por qué los nanoquinas no atacan a los Ohumes?

Se preguntó, su último pensamiento resonando en su mente al desmayarse, el flujo de sangre oxigenada a su cerebro disminuyendo a un goteo.

—Sólo un charco, es todo lo que encontramos, le dijo la secretaria. —¿Lo siento, no he captado su nombre?

—Maris Peterson, Investigaciones, Subdivisión Especial, —dijo, mirando hacia arriba desde su etiqueta de nombre para escanear el rancho de cubos detrás de ella, ahora vacío de su rebaño habitual de burócrata corporativo. Venía directamente del penthouse del noveno piso. —Me gustaría ver la escena, por favor. Volvió la mirada a la secretaria, dejándola viajar a través de su escritorio, por sus brazos y hacia su cara. "Ahora."

—Uh, voy a ver si puedo conseguir a alguien que lo lleve de vuelta allí, señor.

—Cada momento de retraso resulta en una pérdida de evidencia. Sonrió. —Obstrucción de un oficial es una ofensa grave.

No dudó mucho. "Por aquí, por favor."

Siguió, preguntándose por qué se le había instruido que lo retrasaran. Algunas corporaciones privadas operaban sus propios feudos, Sabile Nanobio entre los peores delincuentes. Tenían fuerzas de seguridad privadas y armas de investigación, y en la experiencia de Maris, llevaban a cabo su propia marca de justicia. Poseían varios planetas en toda la galaxia y desafiaban a los gobiernos interestelares a capricho.

Pero no en Tartus IX, pensó Maris. No en mi planeta.

La mujer lo llevó por un pasillo entre cubos hacia un conjunto de puertas dobles. Por encima de ellos flotaba los tentáculos de un nanotectores. "Por favor, déjese escanear, Detective."

Podría haberle dicho lo que encontraría: un Ihume delgado, con cara delgada con una línea de pelo en recesión y encorvado perpetuamente. Los tentáculos mecánicos cobraron vida y se agitaron a través de su cuerpo.

Las puertas se abrieron a un largo y estéril pasillo, un ejecutivo adecuado caminando con propósito hacia ellas. "Voy a escoltarlo desde aquí, señora Jurgis. Soy el doctor Rihard Briedis, el supervisor directo del señor Sarfas". Dio la mano.

Maris sacó su placa. "Maris Peterson, Investigaciones, División Especial. Me gustaría ver la escena, por favor."

—Ciertamente, Detective, tan pronto como el área está esterilizada.

Más retraso burocrático. Odiaba tener que repetirse. —Usted ha escaneado el área y la ha encontrado libre de nanoquinas, ¿sí?

—Mmm, bueno, sí, pero...

—Pero ¿qué? El riesgo es mío. Vete a dormir o llévame allí. Una elección bastante clara.

Su tez se puso roja, la mandíbula ondeó, y el Doctor se volteó. "Por aquí, Detective."

Maris lo siguió por el pasillo. "¿En qué estaba trabajando el señor Sarfas, doctor?"

—Eso es Clasificado, Detective.

—Desechos de Ohume, doctor, y usted lo sabe.

El hombre miró por encima de su hombro. —A su manera o a la manera espacial, ¿es eso?

—La muerte es un poderoso detonante. Calculó que habían logrado retrasar su llegada a la escena por un minuto. ¿Qué intentaban ocultar?

—Supervisó la unidad de calibraciones, perfeccionando la sensibilidad quimio espectral, haciendo que los componentes se ejercitan en las especificaciones. Trabajo tedioso, en su mayoría. Equipo de seis técnicos.

El Doctor dio la vuelta a la esquina, Maris en sus talones. El corredor estéril dio pocas pistas sobre lo que había detrás de las puertas cada sesenta y cinco centímetros, un optiscan a nivel de los ojos al lado de cada puerta, ni una sola etiqueta en ninguna puerta. El neuranet (internet a través de implantes en el cerebro) local fue bloqueado al Detective, lo que esperaba, su pantalla mostrando un mensaje ocasional de "acceso denegado" cada vez que intentaba entrar.

—¿Cuánto contacto directo con nanoquinas?

—No mucho, excepto lo que necesitaba para probar los componentes.

Otro juego de puertas, otro nanotector. Se permitió ser escaneado, el quinto escaneo de este tipo desde que llegó. Maris disparó preguntas, su boca en automático. "¿Sensores pasivos?"

—En todos los conductos, en todas las tuberías de fluidos y gas, en todos los drenajes. Dentro o fuera, Detective, si tiene nanoquinas, se detectará.

—¿Procedimientos de seguridad?

—Por supuesto. Conocemos los riesgos mejor que nadie. Eduard fue bueno, nunca uno que descuidaría el protocolo

—¿Cuánto tiempo con Sabile?

—Ocho años, Detective.

—¿Casado?

—Con una microbióloga en genética. Se conocieron aquí.

El detective no preguntó por niños. Sabía la respuesta. El corredor se cruzó, y Maris vio un escuadrón en trajes de materiales peligrosos adelante, agachados como si estuvieran listos para saltar a las puertas más allá.

El doctor extendió la mano para detenerlo. "¿Usted está seguro, Detective? ¿Ni siquiera un traje de materiales peligrosos?"

Retraso, pensó Maris, sólo están tratando retrasar. "Estoy seguro".

Briedis saludó al escuadrón a un lado.

Maris se acercó a las puertas. Los trajes crujieron detrás de él cuando el escuadrón se posicionó, como para un ataque. El nanotector por encima de las puertas lo escaneó, y se separaron.

En el pasillo yacía un charco de jarabe ovalado grueso y marrón, aproximadamente del largo de un cuerpo humano y aproximadamente el doble de ancho. En el extremo cercano, plasma aferrado a sus filamentos delgados, se encuentran un conjunto de implantes, córnea, coclear, traqueal, y mastoideo, todos hechos de material sin interés para nanoquinas. Donde el pecho habría estado, un dispositivo más grande. Una placa, una hebilla de cinturón, un anillo de bodas y artículos que podrían haber estado en un bolsillo. Alrededor del charco, técnicos vestidos con trajes gruesos examinaban la zona con varios instrumentos.

Maris vio al instante lo que estaba mal.

Se acercó a través de las puertas y se arrodilló junto al charco.

—¿¡Dónde está tu traje, tonto?! Gritó una técnico detrás de una placa frontal, su cara púrpura con furia.

Maris no prestó atención, volteó su placa hacia ella, y lanzó un gesto al charco. "¿Usted ha hecho un análisis compuesto?"

La placa frontal giró hacia las puertas dobles por las que Maris había llegado.

Desde más lejos por el pasillo, el doctor Briedis asintió.

—Masa de restos, setenta y cinco kilos de protoplasma.

Exactamente lo que Maris había pensado en ver los restos. Y precisamente la razón por la que intentaron retrasar su llegada. Pero tenía que verificarlo. "Pero sin carbono."

—No, Detective, sin carbono.

—¿Quién prendió la alarma?

—El técnico, Sarfas. Ese bulto blanco en el medio, con el botón. Todos llevamos uno.

—¿Cuántos nanotectores entre su estación de trabajo y aquí? Maris preguntó a la figura en traje y encapuchada.

—Tres, Detective.

—Todos los nanotectores conectados al panel del enunciador, ¿supongo? Cualquier instalación que trabaje con materiales bio o nanosensibles conectaría los suyos de este modo.

—El éter y el cableado, ambos. Sé lo que estás pensando.

Se levantó, examinando el tamaño y la forma del charco, y se acercó al final donde los pies habrían estado. Arrastró su mirada a través del camino que Sarfas había tomado. "¿No hay gotas separadas de la masa principal?"

El técnico adecuado negó con la cabeza.

Sarfas tenía sólo segundos, Maris sabía, las nanoquinas eran rápidas en su trabajo, utilizando los carbonos existentes de un cuerpo para fabricar más nanoquinas. El detective Maris Peterson lanzó un vistazo a cada extremo del corto corredor donde los nanoquinas habían desmontado Eduard Sarfas célula por célula, molécula por molécula, incorporando los carbonos del técnico en más nanoquinas. "Estaba infectado bilateralmente. Ellas hicieron su camino desde las plantas de ambos pies."

—¿Cómo sabes eso? El doctor Briedis preguntó.

El detective se sorprendió de que se hubiera aventurado hasta aquí en el área de contaminación. "Si hubiera sido infectado con un solo pie, habría tratado de saltar sobre su pie restante, salpicando su carne licuada mientras lo hacía." Maris miró entre los técnicos vestidos con trajes de materiales peligrosos que seguían recorriendo esa sección del pasillo. "No encontrará el carbono perdido aquí, doctor."

Briedis se puso blanco. "No está sugiriendo..."

—No tengo que sugerirlo. Lo sabes tan bien como yo. Por eso trató de mantenerme alejado de la escena, doctor. Significa que todos tus nanotectores de lujo no valen nada.

Y luego las nanoquinas habían escapado, llevándose sus carbonos liberados con ellos, evadiendo el equipo sensorial más sofisticado de la galaxia.

¿Cómo? El detective se preguntó.

CAPÍTULO TRES

El profesor Bernhard Vitol comenzó al son de un golpe, desconcertado de que cualquiera tuviera la temeridad de llevar su cadáver a su puerta. "¿No pueden siquiera avisar, carajo?" Murmuró a nadie en particular. Sacó su gato, se levantó de su escritorio, y pisó en esa dirección, murmurando imprecaciones.

Se había divorciado hace cinco años, después de que la Coalición hubiera impuesto donaciones de óvulos y de esperma obligatorios. Su esposa Ifem se había divorciado de él después de que una bonita Ofem de la mitad de su edad había hecho una colección.

—¡Ya doné ayer, a tomar por culo! —dijo, tirando la puerta abierta.

El hombre de cara leve y agria que lo miraba no

era quien él había pensado que sería. "Maris Peterson, Investigaciones, Subdivisión Especial." El hombre mostró una placa.

—¡He sido regular con mis donaciones, lo juro! Llévame a reservar si es que tienes que hacerlo, pero arrastraré tu cuenta bancaria a la corte por un arresto falso, ¡la tuya y la de la Coalición!

La mirada de cara en blanco y ceja levantada que tenía tampoco era lo que esperaba. El hombre lo miró arriba y abajo. "¿Bremale Vitol?"

—Si necesitas preguntar, estás en el lugar equivocado. Tiró de la puerta.

Se detuvo a punto de cerrarla y rebotó de nuevo abierta, estremeciéndose.

—Necesito dedos de acero. El detective sostenía el pie con las encías en una mano.

—Necesito tu ayuda.

—No estoy haciendo donaciones extra a la cuenta de nadie.

—No estoy pidiendo esperma.

Bernhard miró al otro hombre, desconcertado. "¿Vas a quedarte ahí todo el día? ¿O quieres un poco de té?" Se retiró hacia la cocina, navegando por el desorden. "Esas malditas putas estarían aquí cinco veces al día si las dejo. Y la última vez que intenté cortarme los conductos deferentes, me encerraron". Volvió y metió la cara en la del detective. "¡Por comportamiento espermicida!"

Se acercó a una estatuilla, que se tambaleaba cuando la rozó, y encontró la copa menos corroída en el fregadero. "Lo más limpio que tengo", dijo sobre su hombro. "La exesposa ya no lava los platos."

El agua se calentó instantáneamente, y arrojó una bolsita de té medio usada.

El detective tomó la copa que le había dado en la mano.

De vuelta en la sala de estar, Bernhard regresó a su escritorio. "Tengo un histograma de covariable de regresión de confiabilidad que terminar. Siéntese."

Volvió a su mastoideo, y la habitación desapareció de la vista, datos arremolinados a su alrededor como el caótico desorden de su casa. Los vecinos se quejaban constantemente del olor, y el propietario había amenazado con desalojarlo por ello.

Bernhard sacudió los números en línea, anudaba las regresiones de dos colas en una exclusión mutua unificada, planeó el resultado y sacó todo de su processus mastoideus. "Todo hecho, Detective. ¿Ve eso?" Señaló un Holo del resultado que acababa de generar.

—Sí, pero ¿qué es?

—Así es como el Homo sapiens continuará reproduciéndose naturalmente a nuestra tasa actual de infertilidad.

Los ojos cerrados se abrieron.

—¿Tiene alguna pregunta de por qué tenemos donaciones obligatorias?

El detective negó con la cabeza lentamente, los ojos fijados al Holo. “Peor de lo que pensaba.”

—Tan mal, que el gobierno no se lo dirá a nadie. ¿En qué puedo ayudarte?

El otro hombre bebió su té, su mirada en Bernhard. “Dos asesinatos, parecen no estar relacionados.”

—Yo no los maté, lo juro. Bernhard sonrió y agregó: “Quería, pero no lo hice”.

—Conocía a uno de ellos, —dijo. —El otro era un técnico en Sabile Nanobio, Eduard Sarfas.

—Vendedores de basura, ese lugar. Bernhard roncó, moviendo la cabeza. “¿Cómo murió?”

—En un charco de proto fuera de su laboratorio.

Bernhard silbó suavemente. —Ni siquiera pueden proteger a los suyos. ¿Qué le dije? ¿Va a cerrarlos?

—La menor de mis preocupaciones, incluso si mi lugar está lleno hasta las vigas con sus nanotectores defectuosos. Toda la corporación necesita un traje naranja y una litera en una prisión corporativa por fraude.

—Usted dijo que yo conocía al otro.

—Liene Ozolin. El detective lo miró fijamente, con fuerza.

—¿Ese su apellido? Nunca lo supe. Sí, estuvo aquí hace una semana. Buena chica.

—Agrietó el pavimento frente a su pent-house.

Bernhard dio un guiño. “Lo siento por oírlo. Se merecía algo mejor. ¿No dijiste asesinato?”

—Sí, lo hice.

El profesor esperó un momento. “¿Así que me vas a decir cómo, o es clasificado?”

Peterson lo miró fijamente.

—Dije que no la maté. ¿Quieres hacerme un neuro, sacarme la verdad a la fuerza? Adelante. No te llevará a ninguna parte.

—¿Sabía que estaba casada?"

—Ella nunca lo mencionó, nunca dijo una palabra sobre sí misma. Escuchó un montón de mis lloriqueos, pero no era de los que compartían lo suyo. ¿Qué hay de eso?

—Con otra Ofem.

Bernhard tiró la cabeza hacia atrás y se rio. “¿Ellos crían un espermatozoide-vesícula con la apariencia de una diosa y no le gustan los hombres?” No podía superar la ironía, su patetismo sacudiendo su barriga sustancial, y pronto tuvo lágrimas corriendo sus mejillas. “¡La Coalición de mierda, que se vayan al infierno, poniendo a una chica inocente como ella a través de eso!”

La mirada fría del detective pronto enserió el profesor.

—¿Qué?

—Usted la pidió de vuelta.

—¿Entonces? Era hermosa. Iban a enviar a alguien, también podría elegir las bellezas.

—Te gustó.

—¿Eso es un crimen? ¿Sentir algo de afecto por tu

receptáculo de esperma? Déjame decirte algo, pequeño pito entrometido. Ella estaba haciendo un trabajo, y yo también. Al principio, no podía, porque era tan fresca, inocente y pura. ¡Tu viste su video promocional! No me digas que no te excitó. Esas primeras veces, no la dejaba desvestirse, y después lloré de desesperación. Porque era exactamente la clase de chica que hubiera querido por una hija. ¡Así que agarra esa sonrisa, sumérgela en mierda y pinta tu cara con ella, imbécil! A estas alturas, Bernhard estaba de pie y sobre el pequeño detective.

No se había movido.

El profesor lo habría aplastado en la cara si se hubiera estremecido.

"La amabas."

Él se derrumbó en su silla y lloró, asintiendo y recordando cómo ella lo había tomado, trabajando pacientemente en ese lugar desagradable en su mente donde podía darle un depósito para llevarlo de vuelta al banco. Y ella lo dejaría vacío, su remordimiento tan profundo como su éxtasis, jurando que nunca la volvería a tocar, ni a ella, ni a nadie más que a ella, la chica angelical que hizo cosas diabólicas allí abajo, que de alguna manera persuadió a los fluidos de su miembro irremediablemente flácido sin importar cuánto se resistiera.

—¿Cómo sabes que fue un asesinato? El profesor Vitol finalmente pudo preguntar.

—Charcos de proto en el techo del que se cayó.

Miró bruscamente al detective. "Nanoquinas."

Karlen Araj esperó en el vestíbulo de la casa de Gizela Muceniek. En su pantalla pulsó los niveles de lutropina en el sistema de Gizela.

Estaba allí para una colección.

Su aumento de lutropina había durado veinticuatro horas. En el momento en que alcanzó su punto máximo, desencadenando la ovulación, entonces fue el turno de Karlen.

Vive como una princesa, pensó, mirando a su alrededor. Recién asignado a Gizela Muceniek, observó los techos de cristal aplastado que volaban sobre su cabeza como naves de catedral, candelabros tan profusos que su luz filtraba de las propias paredes, alfombras lo suficientemente gruesas como para silenciar cualquier paso, obras de arte de toda la galaxia que se remontaban varios siglos, molduras tan elaboradas que no podía contar las capas de madera de escarabajo.

Afuera de la casa había un contingente de oficiales de la División de Aplicación Reproductiva. Gizela era conocida por resistir en el pasado, Karlen había sido informado. Nuevo de la guardería, que acaba de graduarse de la escuela final, Omale Karlen Araj estaba en su cuarta colección. Diez años de contrato restantes a mi tasa actual de sueldo, pensó, sintiendo suerte de que podría terminar su servidumbre de sus creadores tan pronto.

"Perfil de Muceniek", dijo en su trake. Karlen revisó su información sobre ella, el gráfico de lutropina brillando a un lado de su pantalla.

Treinta y ocho años de edad, donante de cincuenta y cinco óvulos desde que comenzó la recolección obligatoria, la exjueza Gizela Muceniek había sido inhabilitada hace cuatro años después de una serie de normas a favor de los derechos reproductivos de Brehume. Cada vez más en los últimos cinco años, se había convertido en modelo para el movimiento, un grupo militante de derecha cuyos objetivos habían incluido centros de incubación Ohume, clínicas de fertilidad de Ihume y personal de aplicación reproductiva. Por todas sus acrobacias, el grupo había ganado poca legitimidad con el público en general. La jueza Gizela Muceniek estaba casada con un Imale que se cree dirigía una célula de la guerrilla. Su icono de devoción a los derechos reproductivos había sido cimentado por su lucha altamente publicitada para mantener sus óvulos para sí misma. Esta resistencia profundamente egoísta se había ganado su castigo de la mayor parte del espectro político.

El gráfico de lutropina alcanzó su punto máximo y comenzó a parpadear en rojo. Sonó un timbre y una voz robot contralto dijo: "Tiempo de colecta". En su pantalla apareció un esquema de la casa palaciega, la ubicación de Gizela destacó.

Karlen se levantó y se fue a través de antesalas y bibliotecas, pasillos y salas de espera. No vio a nadie, asombrado de que dos personas ocupaban una cantidad tan grande de espacio. Ser un mediático profesional había demostrado ser más lucrativo que su anterior ocupación.

A menos que ella obtenga su riqueza de sus donaciones de óvulos, pensó.

La encontró en su dormitorio, sábanas de satén amontonadas en sus caderas, con las piernas abiertas.

"¡Sé para qué estás aquí, así que entra ahí y termina con esto!" Su voz era un látigo y él se estremeció.

Karlen comenzó a desvestirse.

La punta brillante de una pistola de blasma apareció en su sien. "Sólo la entrepierna, idiota", gruñó el marido. Valdi Muceniek medía más de un metro noventa y superaba los ciento treinta y seis kilos. No llevaba ropa, su pene arqueado, medio tumescente brillando. Pudo haber aplastado a Karlen con un dedo.

Karlen subió encima de ella, y la idea de la serpiente resbaladiza del marido detrás de él lo llevó instantáneamente al orgasmo. En lugar de la eyaculación, la anatomía nano-modificada de Karlen envió un tentáculo a través de su cuello uterino y a su útero. El tentáculo deslizó la trompa de Falopio hacia el folículo. Por encima de él había un óvulo recién liberado. Los cilios en la punta del tentáculo recogieron el óvulo y lo sellaron de una posible fertilización. Su orgasmo ya terminado, el pene de Karlen se tambaleó en el tentáculo, que luego se retractó en su área púbica.

"Mi turno", dijo Valdi. Arrancó los pantalones de Karlen hasta las rodillas y se empujó profundamente.

Karlen jadeó.

Gizela se retorció por debajo de él. "Una violación por otra, sucio bulto de escoria de laboratorio", le gritó la mujer en el oído.

Los golpes continuaron interminablemente, el hombre grande sacando el aire de los pulmones de Karlen con cada empuje. Cara abajo, no tenía medios para resistir.

El calor que se precipitaba en él podría haber sido eyaculación o sangre. El marido se bajó de él y lo arrojó corporalmente hacia la puerta. La madera se desintegró en una lluvia de astillas. Karlen trató de rodar hasta sus pies, pero sus entrañas estaban llenas de dolor, y todo lo que podía hacer era gemir, un rizo fetal en la alfombra.

El caos estalló, los soldados lo rodearon, alguien llamando para recibir atención médica. Manos suaves le ayudaron a través de su neblina de dolor en una camilla. Karlen perdió y recobró la conciencia. El marido fue llevado más allá de él, círculos de glasma en sus muñecas.

—Ella también, —dijo alguien.

—Quítame las manos de encima, y Gizela chilló de dolor.

—¿Donación intacta?

—Escaneando ahora, Capitán. Un dispositivo apareció por encima de Karlen, tarareó brevemente. —Parece que sí, Señora.

—Primero al laboratorio, luego a urgencias.

Lo sacaron a la magnambulancia que lo esperaba. Cada vez que rebotaba, el dolor fresco atravesaba el colon de Karlen. Las sábanas de la camilla se aplastaban con cada giro, la sangre acumulándose, vomitando alrededor de sus nalgas.

En el laboratorio de fertilidad, lo estiraron para extraer el óvulo, que transfirieron a un contenedor criogénico de cero kelvin, pero no antes de que Karlen muriera de pérdida de sangre.

—Otro asesinato? Maris gimió, moviendo la cabeza. "¡Teniente!"

—Cállate, Peterson. Le dijo la teniente Anita Balodis. "Este está abierto y cerrado". Se maravilló de que una frase tan antigua mantuviera su uso cuatro siglos después de que se originara. El triple master en lingüística, criminología y forense no le habían dado nada mejor que ser la teniente de homicidio, el salario apenas capaz de cubrir sus préstamos estudiantiles.

"Los sospechosos están detenidos ahora. Ve ahora mismo allí."

—¿Quién es la víctima?

Como si no viera el caso en su pantalla, pensó Anita, mirando al estúpido Detective. Afuera, el zumbido de una escuadra invadió su oficina a través de la puerta abierta. "¡Sube, maldita sea, y cierra la maldita puerta!"

Recibió su habitual golpeteo de obscenidades subvocales incurriendo en una mirada desdeñosa de ella. La puerta se cerró con impertinencia, tentándola a abofetearlo con insubordinación.

Todos los detectives veteranos la odiaban. La mayoría de ellos Imales, juraron que ella se había prostituido para ascender, pero ellos no sabían que ella preferiría follarse un puercoespín que a un hombre. Ella no era reacia a mostrar su escote cuando le convenía, pero nunca en la sala de escuadrones, nunca en la comisaría. Mantuvo sus preferencias para sí, su corpiño atado con un sujetador deportivo apretado en todo momento, su blusa siempre abotonada al cuello.

La teniente Anita Balodis rebosaba hostilidad.

Sin ella, no habría asesinatos, y ella no tendría trabajo.

Una Ifem, el producto de la inseminación, crecido hasta la viabilidad en un laboratorio, criado en una guardería, Anita no tenía una familia, sus hermanos de incubadora el símil proximal más cercano. Algunas Ifems nacían naturalmente, pero no Anita.

Cada vez eran menos, los riesgos de gestación en útero eran mayores que los de una placa de Petri.

La teniente convocó su pantalla Holo. La proyección capturó los casos de homicidios activos actuales, y no se necesita un doctorado en cohetes para ver que la mayoría de ellos estaban relacionados con la reproducción o la nanoquina. Quince pares de detectives cada uno con treinta casos activos, cuatrocientos cincuenta asesinatos en total, y más entrando cada día. Su mejor detective, ese imbécil Peterson, llevaba cuarenta solo tomando tres nuevos casos en las últimas veinticuatro horas.

—Neuracom entrante, su implante le informó.

Vio que era el comisario, el viejo Aivars Eglitis. ¡Ese inadaptado entrometido! Pensó ella, ¿qué quiere ahora? "¿Tengo la palabra ya, señor?", Dijo en su trake. "Eso fue rápido."

Su imagen apareció en su pantalla. Corte quemado, colgajos de barbilla, mejillas hundidas, fosas nasales floridas, todas las señas de identidad de un alcohólico. "Gizela Muceniek todavía tiene amigos en la Justicia, teniente. ¿Dónde diablos está Greshot?"

Vio que el capitán Greshot estaba en la conferencia, pero su conexión permaneció en silencio. Probablemente masturbando a tu secretaria de prensa, ella quería decirle. Greshot manoseaba a todos, a Ihumes y Ohumes por igual, de cualquier sexo. "No sé, señor, lo siento. No estoy segura de por qué no está respondiendo a la neuracom".

—¿A quién tienes en Muceniek?

Mierda, pensó Anita, quiere hacer malabares con mis tareas. Entonces me culpará por cualquier descaen. Bastante malo cuando el capitán lo hace. "Peterson, señor, lo mejor que tengo..."

—¿Ese asqueroso idiota? ¡Necesito a alguien que enchufe el blather, no un idiota como él!

—Usted quiere rápido y limpio, señor, entonces es Peterson.

—¡Cámbialo, maldita sea!

—Sí, señor, —dijo. "Púdrete", pensó.

—¡Y llévale esto al fiscal de distrito ya! El neuracom se desconectó.

Greshot llegó inmediatamente después. "¿Qué quiere el comisario, teniente?" Sólo su avatar apareció en su pantalla.

Probablemente haciendo algo que no quiere que vea. "Sabrías si no hubieras estado pasando tu lengua por ahí", le dijo, enojada porque no había estado disponible para dar resistencia.

—Oye, deja mi vida sexual fuera del trabajo.

—Entonces deja de tener sexo en el trabajo. El comisario quiere a Peterson fuera del caso Muceniek. Tú puedes decirle que se pudra.

—¿Le dijiste eso?

—Ese es tu trabajo. Estoy haciendo el mío, y Peterson se queda. Anita cerró el neuracom y se dirigió a su pantalla Holo.

Reasignar a Peterson arrojaría todo el acto de malabares al montón de basura, por mucho que le gustaría hacer exactamente eso. La teniente Anita Balodis apretó los dientes y gruñó, deseando que tuviera una mejor manera de privarlo de la gloria.

Ese sabueso mediático va a llevarse toda la atención.

CAPÍTULO CUATRO

—¡No me jodas! El detective Maris Peterson casi sale por la puerta de atrás al ver la escena.

Un pelotón de periodistas lo esperaba frente a la comisaría. Zumbaban a su alrededor como moscas en caca cuando emergió, cagados en los escalones después de su interrogatorio improductivo de la pareja Muceniek en detención.

—Sin comentarios —dijo repetidamente, descendiendo los escalones y llamando a un magnamóvil en su trake.

Un reportero persistente le clavó un micrófono en la cara. "Se dice que tiene amigos en la Justicia. ¿Cuál es su respuesta, Detective?"

Un Omale, Maris vio, haciendo su trabajo. Con el salario de un reportero, estaría bajo contrato por el resto de su vida. “Encuentra otra línea de trabajo, chico.”

Un magnamóvil salió de la calle coagulada, se detuvo frente a él, y abrió la puerta. Dos asientos, él vio. Probablemente me cobre el doble, pensó.

—Y se rumorea que el marido es un líder de células guerrilleras. ¿Quieres confirmar? La Holo cámara de hombro miró a Peterson como una mantis religiosa.

Maris entró, y el cachorro siguió. “Forense”, le dijo al magnamóvil. “¿Qué especie eres, un bulldog?” Le preguntó al chico.

—Filip Dukur, Telsai Daily News, —dijo el Omale, sacando su mano.

Maris agarró su oreja y miró detrás de ella. “Ingenuo”, dijo, moviendo la cabeza.

—Escucha, Dukur, no tengo nada porque el caso tiene solo dos horas, ¿de acuerdo? Siento decepcionarte.

—¿Puedo acompañarlo al forense?

—Como tener un maldito perro.

—¡Gracias! Y arrojó sus brazos alrededor de Maris, que lo soportó como un gato podría soportar un baño.

¿Qué diablos? pensó. “Tienes que estar bajo perfil.”

—¡Por supuesto, Detective! Dijo el chico.

Movería la cola si tuviera una, pensó Maris.

El magnamóvil se detuvo y su puerta se abrió.

—Gracias por el traerme, —dijo el niño, y corrió por la calle, la Holo cámara balanceándose salvajemente sobre su hombro.

¿Qué diablos? Maris pensó, moviendo la cabeza. Sólo quería un viaje gratis, supongo.

Subió los escalones hacia las puertas, como la mayoría de los edificios municipales elaborados y desalentadores en su fachada. Dentro había un vestíbulo lleno de gente, múltiples agencias que compartían un espacio inadecuado.

Los brazos de un nanotector lo escanearon al entrar. Podría ser una nanoquina andante y la maldita cosa me dejaría pasar, pensó Maris, viendo su marca. Se dirigió al sótano y soportó otro inútil detector Sabile Nanobio.

La recepcionista, una Ofem en el trabajo por quince años, le sonrió por detrás de un glasma reforzado. "Detective Peterson, me alegro de verte, lo siento que sea aquí."

—Buenas tardes, Jana, estoy sorprendido de verte aquí. Pensé que casi habías terminado tu contrato.

—Lo pagué la semana pasada, Detective. Ella puso los brazos en el aire. —¡Soy una mujer libre! Se había salido de su contrato trabajando dos trabajos a tiempo completo a lo largo de quince años.

Él se rio y asintió —Me alegro de oírlo, chica. ¿Qué vas a hacer?

—Estoy pensando en quedarme. Urzula es una buena jefe.

—Un poco fría y calva en el cálido departamento, pero hace un gran trabajo.

—Usted aquí para verla, probablemente. El cadáver de Muceniek, ¿verdad?

—Sí. ¿Ya en el casillero?

Ella lo dejó pasar, asintiendo con la cabeza. —Alta prioridad, aquella. Horrible lo que le hicieron, ¡sólo cinco meses en su contrato!

Asintió. Los videos de los socorristas de la escena del crimen habían sido espantosos, el Omale sangrando por todas partes. "Felicitaciones por graduarte, Jana." Se despidió y bajó las escaleras.

Lo dejaron entrar en el casillero de carne con una mirada, su cara casi tan familiar como la de su jefe. —Urzula, ¿qué tienes para tu amigo?

—Te dije que te largaras hoy temprano, Peterson. ¿Por qué no puedes dejar de molestar? Su delantal protector estaba cubierto de sangre, y ella estaba sobre el cadáver, una cuña debajo de la cintura empujando las nalgas al aire.

—No funciona, osito. Además, quieren resultados sobre Muceniek ayer. ¿Ese es el Omale? Sabía que lo era; se podía reconocer por el daño.

—No te masturbarás creyendo esto, Maris, —dijo, señalando. —Echa un vistazo.

Se acercó y miró a lo que una vez había sido el ano de un joven Omale. Un agujero de más de siete centímetros se hundió tres centímetros en la cavidad abdominal. —O Valdi Muceniek tiene un pene alienígena, o algo más está pasando aquí.

—La tripulación de Ambulancia me guardó una muestra de los fluidos, —dijo Urzula.

—Ochenta y dos por ciento de oxígeno, trece por ciento de hidrógeno, cuatro por ciento de nitrógeno...

—Y sin carbono", terminó el detective por ella. —Proto, ¿verdad?

—Exactamente.

—Así que Muceniek no se lo tiró a la muerte. Lo hicieron las nanoquinas. Miró el agujero perfecto, como si hubiera sido hecho por un taladro. —¿Por qué sus intestinos no salen a través del agujero?

—Tejido epitelial que recubre el orificio. Nunca he visto nada igual. Como si las nanoquinas le hubieran hecho un nuevo culo.

—Pero ¿por qué esto? Hizo un gesto en la simetría. —¿Y de dónde salieron?

—Su trabajo, detective, —dijo la forense. —Pero mire esto. Un hológrafo apareció sobre el cadáver, seis gonadotropinas dispuestas a lo largo del tiempo. Urzula señaló con el dedo. —Aquí está su orgasmo, —dijo, una rebanada delgada brillando. —Mira los niveles de oxitocina, glucocorticoides, estrógeno, y T3 y T4.

Vio que estaban todos elevados. "¿Qué significa eso?"

—Es el perfil hormonal de un macho completamente fértil en respuesta eyaculatoria activa.

Maris la miró. —¿En un Omale? Son infértiles.

—Más que infértil. En lugar de eyacular, tienen un hipermotil.

—Sí, lo sé, interrumpió. Escucharlo lo hizo aprensivo. Miró en el agujero donde el ano del Omale había estado. —Desglosadlo por mí, Urzula.

—¿Y hacer su trabajo para usted?

—Muy bien, está bien. Estás diciendo que el perfil hormonal completamente fértil desencadenó el ataque de nanoquinas.

Urzula parpadeó inexpresiva.

Y sólo había un lugar del que las nanoquinas podían haber venido.

—¡Idiota, dije cinco sedes, no cincuenta! Juris Raihman giró su codo izquierdo carnoso en la cara del Omale. El codo dio sobre la nariz, y la sangre roció el equipo mientras el hombre se arrugaba en el suelo.

—¡Hazlo bien la próxima vez! Raihman consideró patear el nuevo contrato en la entrepierna para una buena medida. No serviría de nada, pensó, no tiene testículos.

Se volteó a mirar las otras muestras que el Omale había estado valorando. Odiaba pegarle a nuevos contratados. ¿Qué les están enseñando en estos días? se preguntó, este un modelo especializado con veinte tetas en el pecho, cada uno diseñado para extruir un producto químico diferente.

Juris vio que el estante de muestras estaba a medio hacer, pero no había manera de saber cuáles habían sido valoradas, y cuáles no. Tendría que empezar de nuevo. Lo que realmente lo enfureció fue que no habría sabido si no hubiera visto al Omale apretar demasiado.

—Tíralos y limpia, Milkins, y luego vete a casa. Tendré un lote nuevo para ti mañana. Y te cambiaré si los arruinas de nuevo. Se preguntó qué burócrata perverso le había dado al Omale un nombre tan ridículo.

—Por favor, no me envíes de vuelta, suplicó Milkins, arrodillado. —Me reciclarán.

—¿Esos idiotas me dieron un intercambio? Estaba furioso y descargó.

El Omale ni siquiera trató de evadir, pero simplemente cerró los ojos cuando la bota se estrelló contra su entrepierna como un cometa en un planeta.

Raihman casi tuvo que hacer una cirugía para sacar el pie, Milkins se enroscó en una pelota en el suelo alrededor de él, jadeando.

Juris se dirigió hacia la puerta, los otros Ohumes saliendo de su camino.

—Doctor Raihman, su visitante está esperando, — dijo su secretaria en su pantalla, el avatar del visitante apareciendo en su pantalla.

Me olvidé por completo de él, pensó Juris, haciendo su camino por el pasillo. Las manchas rojas en su traje blanco parecían de moda desordenada.

El detective que esperaba en su oficina parecía que había estado en la tintorería demasiado tiempo. Los hombros estrechos se desplomaron hacia adelante, las mejillas flácidas podrían haber sido apretadas con una cirugía en la oreja, y la ropa parecía como si hubiera dormido en ella.

Encorvarse es alta costura hoy en día, ¿no? pensó. "Perdón", dijo Juris, pasando el pequeño armario frente a su puerta, junto a la sanitización. Se quitó el traje y se puso uno limpio, lanzando el sucio al incinerador. Se vaporizó en un instante.

Se desinfectó las manos y se volteó. "¿Cómo puedo ayudarle, Detective?"

El hombre estrechó la mano, y los ojos cerrados rastrillaron su rostro.

—Uh, supongo que mejor me lavo eso también, ¿eh?

—¿Sangre en la sala de juntas?

—Laboratorio, —dijo Juris sin pensar. Se excusó a usar las instalaciones. El Ohume estaba saliendo del laboratorio en una camilla, lo vio en su pantalla. Cuando regresó de lavarse la cara, encontró al Dick examinando las placas en su pared.

—No se pueden encontrar buenas tecnologías en estos días, —dijo. —Te vi en el neuro, trabajando en el asesinato de Muceniek. Cosas de alto perfil. Detective Peterson, ¿verdad?

—Estar encubierto nunca me atrajo. En realidad, estoy trabajando en tres casos, Doctor Raihman, todos con un hilo común: nanoquinas.

—No oí eso en las noticias. ¿Qué tienes?

—El primer asesinato fue una diva que saltó desde nueve pisos que dejó rastros de proto de donde saltó. El segundo fue el consumo bilateral desde los pies hacia arriba, dejó un charco de proto. Muceniek fue el tercero. El Omale se desangró por las heridas anales, pero no fue sangre la que dejó atrás.

—Proto otra vez. Juris no lo necesitaba deletreado. —El primero, ¿usted dijo que saltó?

—Sí, bueno, eso o ella se cayó. Apuesto una caída.

—Parece claro. ¿Qué necesitas de mí?

Peterson buscó en su cara.

Yo no lo hice, Juris quería decirle.

—Las quinas no completaron el primer o último trabajo. En el primero, no hay evidencia en el suelo, sólo en el techo. En el tercero, un agujero de agujero redondo de veintitrés centímetros de profundidad y siete centímetros de profundidad donde Valdi Muceniek lo sodomizó.

—Desintegración selectiva, —dijo Juris, con su ano vomitando.

—¿Selectiva qué? La mirada estrecha se hizo más estrecha.

Pronto estará de ojos cruzados, pensó Juris. —Las nanoquinas se pueden programar para que caduquen a lo largo de múltiples parámetros: distancia, tiempo, volumen, recuento molecular.

—¿Perfil hormonal?

Su turno para estrechar su mirada. —¿Como un detonante? Supongo que es posible. Un Omale recuperando un óvulo del juez Muceniek, ¿verdad?

—¿Estás familiarizado con el modelo?

—Un tentáculo móvil incrustado en la punta del pene. En lugar de eyacular, el tentáculo se extruye en el útero para recoger el óvulo.

—Su perfil hormonal imitaba a un Bremale fértil en el momento en que estaba siendo sodomizado.

Juris miró fijamente al detective. —Los receptores de nanoquinas pueden ser diseñados para detectar casi cualquier sustancia, y luego programados para activarse en umbrales específicos para cada sustancia. ¿Estás diciendo que Valdi Muceniek lo infectó? ¿Que su eyaculación estaba cargada de nanoquinas? El Doctor silbó suavemente.

Peterson asintió. —Pero ¿por qué siete centímetros alrededor? ¿Por qué veintitrés centímetros de profundidad?

El doctor Juris Raihman frunció el ceño. "¿Por qué, de hecho?"

CAPÍTULO CINCO

No tengo nada, Maris pensó al salir del edificio, la oficina de Raihman y el laboratorio en un parque empresarial de varios pisos, una colmena de actividad donde no se hacía nada.

Tres asesinatos unidos por nanoquinas, sin rima ni razón en el medio.

El cielo con costra estaba lacerado con nubes, la luz del sol sangraba sobre el viento herido. Los olores de disolventes flotaban desde una calle estéril, cubos de basura que abarrotaban por los lados del edificio. Un drone de basura solitario y sobrecargado se metió metódicamente un cubo tras otro en sus fauces, dando una queja sombría a un paisaje sordo, otros vehículos tarareando más allá. Un parque industrial indiferente deslizó su producto sin descanso.

Seguirá agitando cuando los humanos se hayan

ido hace mucho tiempo, pensó. Para entonces todos seremos Ohumes viviendo en Órgano-topía.

Con el noventa por ciento de la población, los Ohumes casi se habían hecho cargo.

—¿Por qué, de hecho? El doctor Raihman había dicho.

Peterson bajó la cabeza, metió los hombros y caminó hacia adelante, sin querer dejar que una escasez de sustancia lo obstaculizara. Convocó a un magnamóvil, esperando que no tuviera que caminar muy lejos.

Somos criaturas razonando en un universo irracional, se dijo a sí mismo. Queremos sentido, orden, lógica para describir lo que está pasando a nuestro alrededor. Rechazamos el caos, la aleatoriedad, como de algo antinatural, repulsivo, repugnante. Y cuando la anarquía levanta la cabeza y se produce el pandemonio, acusamos a otra cosa de causar nuestra desconfianza. No aceptaremos que fuera nuestra visión sesgada de la realidad.

Un magnamóvil en forma de huevo se detuvo frente a él. Una forma perfecta en un mundo imperfecto, el vehículo ovoide sin esquina ni borde atrapado en nada, deslizándose suavemente a través de superficies rugosas en un cojín de repulsión magnética. Su superficie superior lisa, sin una sola costura, se deslizó a través del aire en cualquier ángulo, resistente a nada, sin atraer atención, pasando todos y cada uno de los detractores con su falta de desafío irracional, deslizándose con el anonimato.

La escotilla se abrió, la mitad superior volvió a saltar sobre su bisagra aplanada.

Maris entró, se sentó y dijo: "Precinto".

La escotilla se cerró y el magnamóvil lo llevó con una queja.

Su pantalla le alertó de un neuracom entrante. "La teniente Anita Balodis," —dijo la voz, su avatar apareciendo en su pantalla.

¿Qué quiere esa perra ahora? se preguntó. —Peterson aquí. ¿Quién más sería?

—Alarmas nanoquinas en la Instalación de Plavinas Brehume Incubation. ¡Mueve tu trasero allí de inmediato!

—¿Luzco equipado para luchar contra un nano?

Su cara se endureció. —¡Date cuenta, estúpido! Ahí es donde llevaron el óvulo Muceniek.

—Y el esperma de Ozolin, —dijo Maris. —En camino, teniente. El canal neura se cerró.

—Plavinas Incubation, —dijo Peterson al magnamóvil.

Las inocentes características del colector de esperma Ohume Liene Ozolin invadieron. Un ídolo de belleza, modificado genéticamente para preservar sus colecciones, orientado a la feminidad, Ozlin había llevado una vida torturada. Condenado por la concepción. Habían alterado su diseño anatómico, pero no habían alterado sus preferencias.

¿Y cómo pueden crear vesículas conservantes en la boca y la vagina, se preguntó Maris, pero no pueden diseñar un órgano reproductivo funcional?

Maris sacó el expediente de la policía en la instalación. Plavinas Incubation fue una de las dos plantas de producción de Ihume en Tartus IX, el planeta tenía sólo unos pocos cientos de miles de Brehumes. Las entregas de óvulos y esperma a la instalación se producían diariamente bajo una fuerte guardia, Ohumes armados criados para el exceso de velocidad a lo largo, armados. Uno o dos humanos reproductores por mes eran concebidos, un número demasiado insignificante para la propagación. El resto atascado en la instalación resultó ser infértil.

Algunos Brehumes optaron por reproducirse naturalmente, sin mejor resultado. El proceso de exención de cobro fue tan oneroso y los pagos por huevo y semilla tan generosos que la mayoría de Los Brehumes optó por vender. Los holos de terror del embarazo eran entretenimiento nocturno, el neuranet plagado de espeluznantes confesiones y videos.

El magnamóvil lo llevó a una estación de transporte. Peterson no recordaba la última vez que dejó la ciudad. La Instalación de Incubación Plavinas Brehume estaba encaramada en una colina a ciento sesenta kilómetros de distancia, a dos mil ciento treinta y tres metros. Territorio de sangrado nasal.

Salió del magnamóvil a una estación llena de personal de noticias y burócratas. Era fácil detectar la diferencia. Reporteros y hológrafos empujaron sus rostros y dispositivos a las personas con los mejores abrigos y protectores faciales en blanco. Peterson era la única persona sin micrófono, holo cámara o protector facial.

El reportero cachorro Filip Dukur con el Telsai Daily News le clavó un micrófono en la cara. —Brote de nanoquinas en la Plavinas Incubation. ¿Parte de su investigación de asesinato, Detective?

—Encuentra otra línea de trabajo, chico.

El joven Omale giró la cabeza hacia su cámara tan rápido que se secó detrás de las orejas.

—Y ahí lo tienes, el... ¡Oye, no me dijiste nada!

El magnatren se detuvo, el chillido de los frenos ahogando el ruido de la plataforma.

Peterson abordó en el transbordador en medio de la conmoción.

Todos se dirigían a Plavinas, aparentemente.

Reconoció a Girdenis de Gonadis, Tylenis de Testicular, Amantas de Amorous, Vizgirda de Virginitis, y Tarvydas de Tardive Disquinesia. La mitad de la burocracia de la Coalición se destinaba a cuestiones reproductivas, tres cuartas partes de su presupuesto.

Estaban empacados en el vehículo como sardinas enlatadas. Los burócratas estaban acostumbrados a ello, sus ranchos de cubos similares. El magnatren partió. Una persona tuvo que arreglárselas para conseguir otro.

—Oye, Tarvydas, ¿qué haces en este tren de la salsa? ¿viajando solo por placer?

—Cinco-HT-dos densidad de receptores, estúpido. ¿No sabes nada de reproducción?

La serotonina de alta densidad 5-HT_2 receptores aumentaba la probabilidad de actividad auditiva aleatoria, un fenómeno asociado con la baja libido. Los neurolépticos arcaicos en dosis bajas reducen la receptividad y mejoraron la libido. Ya no se utilizan para la psicosis, estas drogas ahora jugaron un papel importante en la reproducción. Y todavía causan discinesia tardía. De ahí la presencia de Tarvydas. —No se toma un neuropsiquiatra para saber eso, —murmuró Maris.

—Y ahí lo tienes! ¡El detective Peterson resuelve el caso!

Pudo haberlo estrangulado. —Eso es lo que me gusta de ti, chico, entregando conclusión antes de cualquier noticia de sustancia. Maris forzó su camino a la puerta, placa sobre su cabeza para despejar el camino, y fue primero fuera del transbordador en el momento en que se detuvo.

La Plavinas Incubation era una fortaleza. En las torres se encontraban merodeando centinelas sobre un edificio bajo, en cuclillas, con ojos de escarabajo con un alambre enrollado. Las cercas de doce metros salpican chispas poco frecuentes, también cubiertas con un alambre enrollada. Contó tres capas de cecas, el suelo plagado de colinas de semillas de minas.

Ohumes hinchados y voluminoso con armaduras y armas patrullaban un perímetro interior.

Los vehículos de emergencia se habían extendido frente a la entrada, los motores retumbaban y eran audibles desde fuera de las vallas, las luces parpadeaban más que un lanzamiento de película. Vio al personal vestido con trajes de sustancias peligrosas entre los vehículos, el tejido verde deslumbrante. No muy de moda, Maris pensó, dirigiéndose a la puerta.

Lo frotaron, lo escanearon, lo azotaron, lo arrasaron. Lo hubieran hecho quitarse la ropa y le hubieran metido una sonda en el ano si su placa no los hubiera detenido. Tres puertas seguidas en sucesión, y se preguntó por qué no habían hecho ningún bien.

Justo dentro de la tercera puerta, un joven Ofem se separó de un nudo de personal de oficina vestidos formalmente. "Soy Ilsa Janson, su escolta de instalaciones hoy. No irás a ninguna parte sin mí." Ella lo escaneó con su mirada, lo sorprendió con su belleza.

Se preguntó cuánto duraría. "¿A ninguna parte?" Su vejiga se sentía llena.

—A ninguna parte. Cuelgue su placa en su solapa y venga conmigo, Detective. Ella lo llevó al edificio, la tripulación vestida de seguridad los pasó a su salida. Equipo de mantenimiento jugueteado con sensores por encima de cada puerta. —El brote comenzó en nuestra recepción de fertilidad poco después de la entrega del óvulo de Muceniek a las catorce veinticinco.

Tiempo militar, pensó, operación militante. "¿Cómo sabes que empezó allí?"

Entraron en un vestíbulo, amueblado como la oficina estándar. —Nanotectores allí se encendieron primero.

Su cara como un azote perpetuo, no podía saber si se había intensificado. —Pero no esos, allá atrás. Hizo un gesto sobre su hombro.

Su mirada estaba en blanco mientras lo llevaba a través de un pasillo estéril y en un área de contención. "Esta es la recepción de fertilidad."

Dos filas de sillas forradas un lado. Una planta de plástico en maceta encaramada pintorescamente en una esquina. Una jaula de glasma en el otro extremo parecía sucia desde el interior con un jarabe de color marrón rojizo. Proto, pensó, el color del proto. Tendrían que raspar el interior en busca de restos.

—¿Ya sacaron una publicidad para una nueva recepcionista?

—¿Considerando un cambio de profesión?

Le gustaba su ingenio rápido. —¿Por qué aquí? ¿Por qué no los que están ahí atrás?

La mirada de piedra no cambió. "Por aquí." Ella lo llevó por una puerta lateral a una pequeña antesala con cuatro puertas, una de ellas de color azul. En una pared, largas túnicas marrones con capuchas colgadas de ganchos. "Usted necesitará uno de estos, Detective."

Térmica, dijeron.

—¿Zero-kelvin criogénico?

—Tres capas adentro, sí, pero incluso la sala observación se pone fría.

Se puso uno sobre su gabardina, no estaba interesado en congelarse las bolas.

En el pasillo más allá de la puerta azul, el frio le entró en las piernas como picos. Múltiples paneles de glasma esmerilado a un lado contenían nodos criogénicos en estantes densos, el signo decía "óvulos". Al otro lado, similar, los nodos más grandes, este signo decía "semen". Todos y cada uno de los nodos estaban desiguales al final, como si estuvieran destrozados. El suelo centelleado con fragmentos brillantes y afilados.

—Todos ellos, destruidos, —dijo ella, con la voz de madera. Las lágrimas se congelaron en sus mejillas. Ella lo llevó a través del otro lado, una segunda puerta azul.

Se quitó la túnica, golpeándose los pies para tener algo de sensación de nuevo en ellos. "¿Cuántos óvulos?"

—Medio millón.

Una bala en el intestino. Su corazón martillando y la visión nublada. Sus rodillas suplicaron abrocharse. La incredulidad y la ira libraron una batalla desesperada.

—Por aquí, —dijo ella, limpiándose la cara y guiándolo desde la antesala.

Había techos altos. Tubos enredados con conductos en una confusión retorcida y multicolor hasta los capullos que cuelgan en los bastidores. Capullos después de capullos se extendían a la distancia, el estante detrás del bastidor detrás del bastidor.

Miró una vaina, un óvalo de unos sesenta centímetros de largo y treinta de diámetro.

Un ovulo. Untado en el interior había un líquido de color marrón rojizo, en la parte inferior un charco de proto.

Miró todos los capullos del estante. Miró todos los estantes.

Su mente entumeció, se volteó hacia la Ofem para hacer una pregunta.

Ofem Ilsa Janson miró los capullos, eviscerados de su viabilidad, lágrimas que corrían silenciosamente por sus mejillas.

El detective Maris Peterson no preguntó cuántos fetos habían sido destruidos. No podía.

Atrocidad, los titulares declarados. Incomprensible, proponían los noticieros. Inconcebible, opinaron los jefes parlantes. La tragedia de Plavinas Incubation saturaba el neuranet.

—¿Cómo? Parecía ser la única pregunta que tenían.

—¿Por qué? Se consideró la única pregunta que Maris consideró.

Se dirigió hacia casa, el cielo occidental anotó con la última luz del día, nubes rosas atravesadas con azul. El viento arrancó agujeros a través de su gabardina, cargado con la amenaza de lluvia. Las calles eran un frío consuelo a sus pensamientos calientes. Se ocupaba de asesinatos todo el tiempo, pero nunca había conocido las ganas de matar. Ahora sabía por qué la gente lo hacía.

Tendré que despejar mi mente, pensó Maris, pies engullidos el pavimento. El cálculo en frío había eliminado medio millón de óvulos y otros millones de embriones. El cálculo en frío podría atrapar al asesino. Se decía que la venganza era un plato mejor servido frío. También lo fue la investigación.

Maris no pudo dejar a un lado la tragedia. La regresión elaborada por el profesor Brehume Bernhard Vitol se hundió en una mancha de grasa en el pavimento estadístico. Las tasas de reproducción de Tartus IX habían tomado el desplome fatal.

Probablemente traerán a los mejores de la Coalición y despiden a los locales como yo.

La oscuridad se lo tragó antes de llegar a casa. Había usado los baños en las instalaciones y se alegró de haberlo hecho. La metáfora y la realidad lo habían sumido profundamente en la desesperación, y sólo sus pies lo mantenían avanzando, alimentado por una vejiga tensa.

El hogar fue sólo otro agujero en su vida. Se divorció dos veces antes por las horas que mantenía, era un agujero frío. Pero era un agujero para esconderse. No podía permitirse mucho más en el sueldo de una que tres cuartos de una habitación en el lado de un rascacielos. Lo dejaron solo en el ascensor, la desesperación insolente.

No recordaba la placa en su solapa hasta después de bajar. Al guardarla, se acercó a su puerta.

Puerta que estaba entreabierta.

¿Qué mierda? se preguntó.

—Lo siento, no podía esperar en el pasillo. Ofem Ilsa Janson, su guía de instalaciones, le ofreció una sonrisa tentativa desde el interior de la puerta, dándole un gesto como para invitarlo a su propia casa.

—Tienes testículos. ¿Cómo accedió ella?

—Técnicamente, los tengo. Diseñado para ir de cualquier manera, los embriones Ohume fueron infundidos en una sopa de hormonas, testosterona para hacerlos masculinos, estrógeno hembra, según sea necesario. —Espero que no te importe.

—¿Importar? Un extraño irrumpe en mi apartamento, ¿y no me importa? Debería llamar a la policía.

—Excepto que usted es la policía.

—Técnicamente, lo soy. ¿Por qué estás aquí?

—No tengo adónde ir. Me han despedido. Un lugar tan remoto como Plavinas Incubation tenía viviendas de empresa, frecuentemente cobraban el doble de mercado por la mitad del espacio.

—¿Cómo averiguaste dónde vivo? No era información pública.

—Deja a una chica algunos secretos, ¿eh?

—¿Por qué no debería dejarte en la acera, esposado a una farola?

Los dos se miraron el uno al otro, Imale residente y Ofem no invitada.

Su cabeza cayó hacia adelante, y comenzó a llorar.

¡Qué pesadilla tan idiota! pensó, se siente como una escena en una película de cine negro pero porno. Si le ofreciera su sofá, acabaría en su cama. Si le ofreciera su cama, acabaría en el sofá. O ella lo masturbaba tontamente, o él tendría que hacérselo a sí mismo.

Sus pensamientos una letanía de obscenidad, la tiró a su hombro y pateó la puerta cerrada.

CAPÍTULO SEIS

El profesor Bernhard Vitol abrió la puerta. "Eres tú otra vez. ¿Qué hice ahora?"

—Necesito más información, Prof., —dijo Maris. El olor a sudor rancio caía en cascada del profesor, el tsunami de aire agrio a su nariz desnuda. —¿Investigar juntos? Haces bien.

Los ojos se desplazaron a la izquierda, luego a la derecha.

Peterson levantó la mano. —No me lo eches en cara. Me mandarás a la cárcel o saldremos a comer una hamburguesa. ¿Cuál será?

Los ojos cayeron a los pantalones arrugados, las axilas anilladas. "¿Cinco minutos?"

—Tres, y voy a entrar con una orden a las cuatro.

Un profundo suspiro y los hombros se desplomaron. "Muy bien, Detective", dijo el profesor, y la puerta se cerró.

A los dos minutos, Maris se rascó la cabeza. ¿No lo haría...?

El detective corrió a la parte trasera de la modesta casa, el exterior tan limpio como el interior estaba desordenado. No hay vallas en este vecindario, y detrás de la casa estaba el vecino, a seis metros de distancia, Vitol se deslizaba en la puerta.

Maris estaba en él, agarró los hombros de la camisa por detrás, y arrojó al profesor de nuevo al césped.

Se puso en posición fetal cuando cayó. "Nomelastimesnomelastimesnomelastimes..."

—¿¡Qué haces idiota, Vitol?! Peterson sacó un par de esposas, le atrapó una. —Sólo quiero información, por dios. ¡No me hagas arrestarte por eso!

"OkayOkayOkay..."

—Joder, incluso voy a ofrecer algunas papas fritas. No las conseguirás en la cárcel del condado.

—¿Papas fritas? ¿Las reales?

Maris consideró, decidió que podía gastarlo. La teniente Balodis no sería feliz, pero podría joderse. "Las reales."

—Trato hecho.

Todo eso por unas papas fritas de verdad. Probablemente lo planeó. "Eso es lo que me gusta de usted, profesor. Chupas la ventaja de cada oportunidad".

Con las esposas devuelta en su cinturón, los dos

se fueron por la calle, al lugar de la hamburguesa en la esquina. El bulto del profesor tomó la mayor parte de la acera, Peterson caminando la mitad en la cuneta, el elefante y la pulga.

—Venid conmigo, chicos amantes, —dijo la camarera, mirando entre ellos, decidiendo claramente que eran cónyuges.

El banco se quejó de que tendría que presentar una lesión en el trabajo. Peterson decidió que él también podría, el profesor era doloroso de mirar, Vitol podría ser Señor Galaxia.

Maris sacó el expediente del profesor Vitol. "Bernhard, ¿por qué no me dijiste que te negaste a donar ayer? Ahora hay una orden de arresto".

—¡Draconiana, la forma en que chupan esperma! Se quejó.

—Peor ahora que las reservas de Plavinas Incubation fueron eliminadas. Miró a la camarera que se acercaba. —Dos hamburguesas y dos papas fritas de verdad.

—Una por mesa, —dijo la camarera, lanzando una mirada hacia la puerta. —¿No lees?

Un letrero justo dentro de la puerta lo hizo claro.

—Una real, otra artificial, y las compartiremos.

—Oye, eres el detective que vi en el holo, ¿no? La camarera le sonrió, rastrillando sus ojos a través de él como brasas calientes. —Cariño, puedes freír tu papa como quieras. Están saliendo con una inmersión sobre ti, hormonas incluidas.

Lo odiaba cuando tenía mucho tiempo de neuranet. La última vez que sucedió, tuvo que mudarse y hacer que su dirección fuera clandestina. "Dos papas fritas de verdad."

—Por supuesto, guapo. Ella sacudió las caderas mientras se alejaba.

Probablemente tenga a una inmersión jugando en su pantalla ahora mismo, pensó Maris. Pero no podrías disfrutar de una infusión completa sin ingresar. Se tocó el mastoideo, Ilsa y él se habían metido el uno al otro mientras se sacudía los sesos. Había sido profundo.

—¿Qué quieres preguntarme?

El Detective devolvió su atención al profesor. —Esa progresión, ¿para quién haces eso? ¿Para el Departamento de Estadísticas Reproductivas?

—Confidencial—dijo Vitol levantando una ceja.

Atreviéndome a arrestarlo, pensó Maris. —Bien, así que no me digas. ¿Por qué está pasando?

—¿Qué, la disminución de la fertilidad?

—No, el psiquiatra en tu pene. ¿Por qué el declive?

Bernhard se inclinó hacia adelante, aliento agrio, sudor agrio. "Nadie lo sabe."

—¿Eh? ¿Pueden hacer a un ladrón de óvulos y a un cazador de esperma, pero no saben por qué los Ihumes son infértiles y no saben cómo arreglarlo?

—Tienen teorías, pero nadie lo sabe realmente. Los viajes interplanetarios son una teoría. Ya sabes, la exposición a los rayos gamma, lo que no explica la esterilidad de las personas que permanecen junto a su vida. El índice de contaminación es otro. Aire y agua tan sucios, alimentos tan modificados, nuestro ADN ha perdido su capacidad de enviar las instrucciones de la mezcla hormonal correcta.

—¿Qué pasa con los nanoquinas?

—El sueño húmedo de algún idiota de la conspiración. Completamente infundado. Los conjuntos de nanotubos de carbono necesitan una fuente de alimentación. Sin poli hidrocarbonatos solventes, no se propagan de persona a persona.

—Los carbonos van a alguna parte.

—Dióxido de carbono, sobre todo. Aerosolizado. Vitol se inclinó hacia atrás, respirando fuerte. —Desglose estándar de ATP (Adenosín Trifosfato). Pero eso deja la teoría del fosfato.

—¿Ah?

—Los niveles bajos de fosfato limitan el crecimiento de los sistemas orgánicos. Los fosfolípidos son fundamentales para el desarrollo epitelial. Sin fosfato, sin piel. Y las nanoquinas arden a través de fosfatos más rápido que un masturbador a través de una inmersión.

El detective atrapó al profesor con la mirada. —¿Por qué no nanoquinas?

—Sin propagación.

—¿Quieres decir, pasar de una víctima a otra? ¿Y si encontraran una manera?

El profesor clavó al detective con la mirada. —Odio pensar en ello, pero no es parte de mi experiencia.

Las hamburguesas llegaron, pero se sentaron allí intactas mientras Maris y Bernhard pastaban sobre papas fritas como epicúreos en caviar, gimiendo de alegría. La patata no se podía sintetizar.

Terminando la última con un gemido, Peterson se sentó y se encorvó, mientras Vitol se zambulló en su disco de carne sintetizada frita en un bollo horneado falso, cubierto con lechuga ficticia, tomate simulado, pepinillos falsos, cebolla fabricada, y una mezcla de salsa que se supone que imita la mayonesa, la mostaza y el kétchup. La salsa se parecía demasiado al proto que había visto en las últimas cuatro escenas del crimen.

—Así que, si las nanoquinas encontraran una manera de llegar de víctima a víctima, ¿podrían ser responsables de la disminución de la fertilidad?

El doctor Juris Raihman frunció el ceño. "Usted otra vez. ¿Qué coño hice?"

—Una pregunta simple, doctor Raihman. Maris lo miró en busca de más signos de peleas de laboratorio. —Si las nanoquinas encontraran una manera de llegar de víctima a víctima, ¿podrían ser responsables de la disminución de la fertilidad?

—¿Estás investigando un asesinato o resolviendo los problemas de la humanidad?

—Sólo la respuesta, Raihman, sólo la respuesta.

El hombre frente a él se inclinó hacia atrás en su silla, el cuero crujiendo.

No hay tal cosa como el cuero, Peterson se recordó a sí mismo, a pesar de los ésteres bronceadores latentes en el aire. El uso de la piel de animales para tapizar los muebles había ido por el camino de la propia vaca, criada hasta la extinción a través de la domesticación. El costo de cultivarlos en una placa de Petri superó con creces su valor, su producción demasiado costosa ecológicamente.

La larga pausa le alertó del pensamiento profundo o de la evasión creativa.

—Perfil, Raihman, —murmuró en su trake, sin importarle si el otro hombre lo sabía.

El doctor Juris Raihman, investigador principal de la biofirma, Valmiera Nanobotics, tenía cuarenta y cinco años, infértil, estaba casado con un Ifem, sin hijos, graduado de la Escuela de Medicina de la Universidad de Riga Stradins, triple certificado en nanobiología, fertilidad y endocrinología. Posición anterior como jefe en el Departamento de Barreras Reproductivas, División de Vaginitis, Oficina de Reticulitis Testicular.

Por supuesto, Peterson pensó. ¿Por qué ponen información tan obvia en estos perfiles? ¡Un Imale casado con un Ifem no producirán nada juntos más suspiros en la noche!

Raihman miró a la izquierda y luego a la derecha.

Al percibir la necesidad de evitar la ofuscación, Maris preguntó: "¿Qué hiciste en Testicular?"

—Evaluaciones del escroto, —dijo el Doctor. —Mire, Detective, sé que sólo está haciendo su trabajo, pero ¿no cree que la disminución de la fertilidad es mejor dejar para...

—¿Expertos como tú? ¿Y dejar que nos masturbes por todas partes? Probablemente la razón por la que estamos en este lío. Consigue un traje naranja o responde a la pregunta. ¿Qué es, doctor?

—Váyase de mi jodida oficina, pequeña polla oficiosa.

Peterson saltó a través del escritorio y lo inmovilizó contra la librería. —Engáñame una vez, que pena de ti, engáñame dos veces, que pena de mí. No voy a ser engañado de nuevo. Sacó el puño hacia atrás.

—Muy bien, está bien. Levantó las manos en rendición, como si una pistola blasma estuviera apuntando a su cara.

Maris bajó el puño.

—Sí, sí. Pero eso es un gigantesco "si", Detective.

—¿Qué se necesitaría? Se alejó y se cayó en la silla, al ver que había limpiado el escritorio del Doctor, con su contenido esparcido por la oficina.

Raihman se despejó la garganta y ajustó su traje. "Realmente eres un idiota, ya sabes."

—Guarda los cumplidos y responde a la pregunta. Fue tentado a arrestarlo sólo por su obstinación, pero ser desagradable era un derecho constitucional.

—La transmisión de víctima a víctima requiere un vector, Detective, algunos medios para llevar la nanoquina de un entorno rico en poli hidrocarbonato a otro. ¿Sabes por qué se llaman nanoquinas?

—Porque son pequeñas.

—Ridículamente pequeñas. Un nanómetro es de diez a los nueve metros negativos. Las nanoquinas se componen de nanotubos de carbono de tal vez quinientos nanómetros de ancho, el tamaño de las bacterias micoplasma.

—Al carecer de paredes celulares, son resistentes a los antibióticos betalactámicos que apuntan a la síntesis de la pared celular.

—Braggart. Sus programas están codificados en desequilibrios iónicos. Potencian su locomoción desde sus ambientes de poli hidrocarbonato, su respiración produce dióxido de carbono y agua, utilizando el exceso de carbono para reproducirse. Tienen que vivir de algo.

—¿Y si hibernan?

—¿Y esperar el ambiente de poli hidrocarbonato? Es improbable, Detective.

—¿Qué hay en los espermatozoides?

Ojos del tamaño de la luna lo miraban fijamente.

Si hubiera estado mirando en la otra dirección, pensó Maris, se habría roto el cuello.

—Pregunta insensata. ¡Ridículo! Estás insinuando que Valdi Muceniek no fue un incidente aislado.

—No estoy insinuando en absoluto. Lo estoy diciendo como un hecho, doctor.

CAPÍTULO SIETE

La luna se levantó, un mal de ojo a través de una tierra aturdida, maldiciendo a cualquiera que se atreviera a procrear, dejando los vientres estériles y los corazones de los padres desesperados, la infertilidad inducida por nanoquinas que se propaga como una enfermedad venérea, los motores de la creación diseminando su propia destrucción.

Maris se paró en las escaleras del Ministerio de Fertilidad y miró hacia ese paisaje deslucido. Carros magna se quejaron en servidumbre perpetua en la avenida debajo de él. Los cables cortaron el cielo. Los edificios erguidos, ventanas iluminadas que insinúan la actividad sospechosa en el interior, ventanas oscurecidas que lo declaraban. Los árboles aislados perforaron agujeros en el paisaje urbano, extrajeron nutrientes de la tierra desprovistos de nutrición, hojas palidecidas con toxinas en el aire. En algún lugar una sirena se lamentó, lamentando su pesar a las desafortunadas víctimas. Una brisa llevaba el hedor de aire ionizado y basura podrida.

Le gustaba esta hora del día. No sabía por qué. Podría haber dicho lo mismo de su trabajo. La muerte no discriminaba. Era inevitable como el atardecer. El reflujo del día, la plaga de la noche. Un alma robada, arrebatada por un ladrón que no se benefició en absoluto del robo en sí, como si quitarle la vida a alguien pudiera mejorar la propia, como una reputación.

En estos asesinatos, fue más que una sola vida; fue la continuidad de la vida misma, un asesinato más sucio que la vida misma.

Peterson se volteó hacia el edificio detrás de él y miró hacia arriba. Las abrazaderas de la ventana se quedaron indiferentemente de nuevo a él.

Un magnamóvil terminó su lloriqueo en la calle de abajo, y una figura emergió. Los zapatos subiendo las escaleras le sacaron un ritmo staccato.

—Llegué tan pronto como pude, —dijo Ilsa, dándole un beso en la mejilla.

—Gracias, —dijo, con la boca cerca de la oreja, el olor de ella como un prado al amanecer, la sensación de ella como el beso del amanecer. Le entregó un dongle mastoideo, el que marcó a la hembra. —Ponte esto. Eres Ilsa Liepin, certificada Brefem, solicitando un permiso de nacimiento natural con tu marido, Maris Liepin. Nuevo nombre, nueva dirección neuranet, nuevo todo.

—¿Dónde?

—Los de encubierto hacen esto todo el tiempo. La empujó contra él. Le emocionó tenerla cerca, toda la testosterona adolescente sin ninguna de sus angustias.

—¿Cómo es que llegan a tener toda la diversión? Se encontró con su mirada brevemente y sonrió. —Bueno, casi toda.

Él se rio. "Hora de ponérselo". Se deslizó el dongle marcado de macho en su mastoideo.

Su pantalla parpadeó y brilló un icono. "Subida completa", su implante avisó.

—¿Lista?

Ella asintió con la cabeza, y él extendió su brazo a ella.

Juntos, atravesaron las puertas.

La esterilidad interior superó la indiferencia exterior. El Ministerio de Fertilidad parecía cualquier cosa menos fértil. Techos blancos reflejaban suelos blancos. Las paredes blancas se enfrentaban a paredes más blancas. La luz no tenía fuente, parecía venir de todas partes. La única mancha de color en el blanco sobre blanco era el recepcionista pálido. "¿Puedo ayudarle?"

Necesita un poco de maquillaje, pensó Maris. O

pintura. "Uh, Maris Liepin. Mi esposa Ilsa y yo queremos solicitar un permiso de nacimiento natural".

El hombre vaciló, accediendo a sus identidades en su pantalla. —¿Por qué no aplicaron en la red?

—¿Para algo tan importante? Ilsa dijo, moviendo la cabeza. —¿Y ser bombardeado con neura-publicidades para suplementos de fertilidad?

—¿Y mejoras eréctiles? Maris intercambió una sonrisa con su esposa. —No, gracias, chico.

—Veo que sus donaciones están actualizadas, —dijo el recepcionista. —Estoy sorprendido de que todavía están aceptando lo suyo, señor Liepin. Usted debe estar honrado.

—Después de ese desastre en Plavinas Incubation ayer, le estarán rogando a Bremales mucho más viejos que yo.

—Terrible, ¿no? La Coalición está enviando a su escuadrón de investigación, he oído. El joven Omale empujó un escáner hacia ellos, parpadeando luces de escaneo cortando a través de su superficie. —Sólo necesito una imagen de retina de ustedes dos para obtener su acuerdo. Ese acuerdo incluye permitirnos acceder a su examen de fertilidad más reciente. Además, se comprometerán a un intento cada cuarenta y ocho horas. Necesitarás entrar para grabar tus perfiles hormonales. Se enviará un enlace a su neuramail con instrucciones sobre cómo cargar sus grabaciones. Durante el período de espera de dos años, sus donaciones deben mantenerse al día en todo momento. Cualquier caso de retraso o falta de su donación resultará en un reinicio del período de espera de dos años.

—Un restablecimiento? Ilsa preguntó.

—Empieza de nuevo, —dijo el joven.

—Para entonces habrás terminado con tu contrato, se quejó Maris.

El Omale le dio una breve sonrisa. —La tarifa de solicitud es de diez mil lats, por favor.

Las mulas no deberían trabajar en lugares como éste, pensó Peterson. Como si un Ihume fuera mejor, robando miradas resentidas a cada cliente, una baba verde de envidia goteando de sus miradas de sus suplicantes fructíferos, la podredumbre de la rivalidad devorando sus almas.

—Sólo mira en el escáner, por favor.

Ilsa se inclinó hacia adelante. Los rayos azules bailaban a través de su cavidad orbital.

—Y ahora usted, señor Liepin.

Maris se inclinó hacia adelante. Brillantes destellos de azul dejaron imágenes en su córtex, como una inmersión abrasadora o distantes relámpagos.

—Gracias, señor y señora Liepin. Buena suerte en toda su procreación.

Maris sonrió a Ilsa y la besó profundamente. —Oh, uh, supongo que es mejor esperar.

Afuera, mientras bajaban las escaleras, él podía ver que estaba a punto de estallar de risa.

Tan pronto como la puerta del magnamóvil se deslizó con un clic, ella arrojó la cabeza hacia atrás y se quejó.

La miraba, se divertía y calentaba.

De vuelta en su apartamento, no llegaron al dormitorio.

—¿Ahora qué? —preguntó mucho tiempo después, con su voz en su oído gruesa con los ricos tonos de amor.

—Ahora esperamos.

—¿Para qué?

—Sí, ojalá lo supiera.

—Aquí hay un nanotector, el modelo más sensible hasta la fecha, diseñado para detectar densidades de carbono por encima del setenta y cinco por ciento por masa a noventa metros.

—¿Mi estornudo lo encenderá? Peterson tomó el sensor del Doctor Rihard Briedis, filamentos de araña envolviendo su dedo.

—No, Detective. Las densidades de carbono superiores al setenta y cinco por ciento sólo se encuentran en aglomerados de biomasa comprimida como el carbón o el diamante. Y las nanoquinas no pueden sobrevivir sin organofosfatos para asimilar.

Maris asintió y agradeció al otro hombre. Luego salió del edificio para llamar a un magnamóvil. La calle no había cambiado, la penumbra de los parques industriales y la perdición del basurero, las líneas eléctricas que dominaban el cielo, el gemido del drone de basura.

Tal vez se ve diferente al amanecer, decidió. Tal vez Ilsa había desatado la luz sobre la oscuridad en su mundo.

El viaje diario a la comisaría era la caja habitual de carros magna en forma de huevo, arrastrándose en masa hacia sus objetivos, la gente corriendo sin llegar a ninguna parte.

Una vez condujimos nosotros mismos, pensó. En algunos planetas, todavía lo hacían, y en vehículos que poseían. La idea parecía ridícula. Miles de egos en un curso de colisión, todos intrigando cómo adelantarse el uno al otro, en máquinas cada vez más grandes, más poderosas, empacadas juntas en una sola carretera yendo a ninguna parte, pensando que estaban avanzando.

Ahora, todos sabemos que somos impotentes, pensó Maris, un magnamóvil entre cien mil que fluye a través de una ciudad tan espesa con arena que se pega entre los dientes. Lo depositó en los escalones de la comisaría. Una mirada hacia la puerta de la estación le dijo todo lo que necesitaba saber.

Coalición.

Los de traje negro en zapatos brillantes escanearon la calle con tonos oscuros y rostros activos y anónimos, uno a cada lado de la entrada. Lo escogieron en el momento en que se vio. El magnamóvil se quejó, lamentando su destino.

La teniente Anita Balodis salió por la puerta y bajó los escalones hacia él. Se veía tan informal como un borracho de callejón que se mete en una licorería. "Se acabó, Peterson."

—¡A la mierda eso!

—Mírame, imbécil, —dijo, con la voz inexpresiva.

Algo sobre su tono. Maris lo hizo, y no vio la derrota en sus ojos, no la capitulación, sino el conocimiento decidido, la resistencia desafiante.

Se acercó. Se dio cuenta de que era más alta que él. Se preguntó cuándo había sucedido. "Lo diré rápido. Lo diré una vez. Sabíamos que esto se acercaba. Los de encubierto tienen un disfraz y un vehículo. Tienen todo lo que necesitas. Llévate a tu amiga contigo. Diremos que robaste el magnamóvil. Averigua qué está pasando, Peterson. Por todos nosotros."

Ella dio un paso atrás e hizo un gesto a los guardias que se acercaron a los escalones hacia ellos. "Algunos amigos de la Coalición quieren hablar con usted. Han tomado jurisdicción de sus casos de nanoquinas".

Lo llevaron a una habitación con una sola lámpara. Usaban palabras en lugar de puños. Lo dijeron sobre el caso. Los puños habrían sido más misericordiosos. Se guardó la mayor parte de la información para sí mismo, negándoles el panorama general.

Balodis sabía y no les había dicho, se dio cuenta.

La tragedia de la Plavinas Incubation había despertado a la Coalición de su sueño. Targus IX era un planeta menor, un eslabón importante a lo largo de las rutas comerciales Scutum-Crux, pero mediocre en la fabricación, los recursos naturales y la mano de obra.

Arriba y abajo del brazo galáctico se sentaron mundos con mucho más peso político. Y cerca del final del bar galáctico estaba Riga. El pez gordo. El gorila de la galaxia. La Coalición de las Constelaciones Waltic se extendió desde el final de la barra galáctica a un cuarto de la salida a lo largo del brazo Scutum-Crux, su capital encaramada por una de las dos minas más ricas de energía y metales pesados de la galaxia.

No quieres que la Capital se meta en tu negocio. La atención de la Coalición era más deseable en otros lugares. Los gobiernos locales protestaron por su fuerte injerencia de mano constante, pero de manera obsequiosa. Demasiado fuerte, y su gobierno era reemplazado. Lo mismo con las fuerzas del orden. Un crimen tan atroz como la aniquilación de millones de fetos en Plavinas Incubation había invocado la toma de control de la Coalición.

—Ahora es nuestro, Peterson, le dijo el coronel Teodor Astrauckas. Jefe del Departamento de Investigación de la Coalición, Región Crestonia, metió su cara en la luz, el último de los interrogadores. "¿Lo entiende?"

—Afuera, coronel.

—Eso significa que te alejas de todos los involucrados. Plavinas Incubation, Sabile Nanobio, Doctor Raihman, Iveta Rozstis, Gizela y Valdi Muceniek, todos ellos. ¿Sabes lo que pasa si te acercas a cualquiera de ellos?

Sofocó un bostezo. "Me darán un cono de helado."

—Cárcel de Patarei, Detective, un traje de naranja, un colchón tan grueso como una tabla, una celda del tamaño de un armario. No conseguirás un juicio, no conseguirás un abogado, no recibirás una sentencia. Sólo vete. Y no vuelvas.

—No podré verte de nuevo. Estoy tan decepcionado.

—Realmente eres un idiota desagradable. Hasta tu jefe lo dice. Nuestro caso. Aléjate. ¿Lo tienes?

Peterson se encogió de hombros. "Tu caso. Tu error."

Salió de la comisaría sintiéndose curiosamente ligero. Las limitaciones de informar a un supervisor, de mantener horas semi regulares, de estar encadenado a una serie de casos, desaparecieron.

Durante un descanso en el baño, había neuro marcado a Ilsa. Esperó en la parte trasera de un restaurante oscuro a dos cuadras de distancia, un favorito de encubierto, donde nadie se quitaba sus sombras. "Pero no puedo ir contigo", dijo. "Mi contrato."

El teniente Balodis le había dicho que se la llevara. Maris sospechaba que el contrato sería atendido.

Un camarero se acercó. "La bullabesa es divina", dijo en voz alta, inclinándose hacia Maris, con el dedo al menú. "Estás siendo vigilado", añadió el camarero en voz baja. "Con la señal, vayan al congelador."

Maris se acercó a la mano de Ilsa, con los ojos abiertos de miedo.

Un Ifem de traje oscuro y sombreado se acercó al camarero. "Perdón, ¿dónde está la cabeza?"

Sólo los idiotas lo llamaban así. "El baño es sólo para los clientes, señora."

—¡Que se jodan tus clientes! La idiota Ifem gruñó. Sacó una porra con una mano, se apoderó de su garganta con la otra. —¡La cabeza, maldita sea!

—¿Qué estás haciendo? Un patrón al otro lado del pasillo se puso de pie y se abalanzó sobre la idiota de Ifem.

El caos estalló.

Maris llevó a Ilsa hacia atrás, encontró el congelador justo después del congelador regular. La pesada puerta giró a un lado. En la parte trasera había cajas de bistecs, hasta el techo. La pila se deslizó silenciosamente a un lado.

Peterson se hundió a través de la abertura, Ilsa justo detrás de él. El corto pasadizo los dejó en el almacén subterráneo. Cerca de una puerta enrollable tarareaba un magnamóvil, doble asiento, una escotilla abierta, el glasma teñido oscuro.

Entraron, la escotilla se cerró, la puerta se enrolló y el magnamóvil salió disparado.

Miró hacia atrás. La puerta enrollable estaba rodando hacia abajo.

—¿De qué carajo se trataba eso?

Deslizó su pistola blasma de su funda. —Más tarde. Un bolso a sus pies. Disfraces.

El magnamóvil aceleró a través de un callejón con la basura, la basura saltando a un lado para evitar ser arado. Una persona demasiado drogada como para esquivar fue chocado, el magnamóvil dando una advertencia e intentando desviarse. El magnamóvil se estremeció al impactar, y Peterson miró hacia atrás a tiempo para ver al adicto derrumbarse.

—Tenemos que parar, —dijo Ilsa. —Podría estar herido.

—No sentí nada, —dijo.

El magnamóvil se sumergió hacia el tráfico desde el callejón y se dirigió a las afueras, hacia el puerto de transporte.

—Revisa en la bolsa en el suelo mientras observo la persecución. Mantuvo un ojo en el retrovisor.

—¿Qué es todo esto?

—Habrá dos dongles mastoideos. Ponte uno, dame el otro. No hay señales de persecución, el magnamóvil tomó una ruta en zigzag.

—Hay pelucas, cremas, vendas. Maris, ¿qué está pasando?

Sacó los ojos del retrovisor para mirarla. “Nos están atacando.”

CAPÍTULO OCHO

Las luciérnagas llenaron el cielo, decenas de helopodos revoloteando sobre Crestonia. Las ventanas veían cada movimiento, las miradas pinchando la piel a través de su espalda, una constante sacudida. En todos los sentidos yacía montañas de la ciudad, constelaciones de luz, masas de humanidad.

La ciudad se desplegó más allá de ellos, el sol de papel-mache manchando de un pastiche gris de nubes. Falos de glasma y hierro violaron el cielo, doblando con cada giro de los carros magna, nombres sinónimos del mercado de acciones, márgenes de ganancias obscenos, explotación sin escrúpulos. Dentro de un soporte particularmente denso de pilares de la picota se encontraba una pequeña cúpula blanca, el capitolio capitulando al capitalismo corrosivo. Aunque el capital continuamente deslizaba sus sucios dedos en los pasteles calientes del gobierno, las legislaturas continuaron cocinando una burocracia cada vez más bizantina, donde la negación plausible y la difusión de la responsabilidad convirtieron la influencia en un elaborado juego de conchas, hasta que nadie sabía dónde estaba realmente la pelota.

El magnamóvil los dejó en la acera del Hotel Crestonia Holtin. Las fuentes desparecieron del frente, con niebla tan diáfana como el pensamiento desvanecido, efímero como principio evanescente, transitorio como la verdad evaporándose.

Maris miró a Ilsa. “No es muy acogedor”, dijo, mirando al hotel. Miró el modelo de un Brehume, su ropa de vestir dándole el glamour de la alta sociedad. Parecía arrugado y siempre lo haría, pero las arrugasen un hombre era la alta costura.

Ilsa y Maris Liepin se registraron, el Holtin reputado como el mejor establecimiento de la capital. El hilo desviado saltó de la alfombra desgastada, la pintura pelada saltó de la pared deformada, una mirada sospechosa surgió de patrón. Arroyos de liquen goteabas de aleros, rayas goteando desde las esquinas de las ventanas, miradas aburridas goteaban de los botones desaliñados. El ascensor se estremeció al subir, Ilsa se estremeció por la decoración en mal estado, Maris se estremeció con el presupuesto del encubierto.

No es de extrañar que atrapemos a tan pocos criminales, pensó, si este es lo mejor que nuestro dinero puede comprar.

—Se ve extraña, nuestra llegada sin equipaje, —dijo en el momento en que estaban solos en su habitación.

—Estamos aquí por un día. Esta noche compramos, y mañana encontramos nuestro contacto.

—¿Qué estamos haciendo aquí, Mare?

Oyó en su voz una súplica silenciosa. Unos días de intimidad con ella ya habían perfeccionado su sensibilidad. "Dos objetivos: infiltrarse en el sistema de donación de Brehume y encontrar un proveedor de nanoquinas del mercado negro". Pero eso no era lo que ella había pedido. La acercó. "Escucha, Ilsa, no tienes que hacer esto. Me enviaron aquí porque soy una plaga, pensé que sería más feliz si te traía. Me alegro de que estés aquí, pero si no quieres ser el cebo Brefem, está bien por mí."

—¿Y qué hay de mi contrato? Su mirada escaneó su rostro, una sonrisa traviesa en sus ojos.

—En este momento, estás trabajando para la fuerza. Has sido reclutada. Harán los pagos. En tu disfraz, eres una Brehume. Si quieres, puedes buscar cualquier Ohume, ver lo que se debe en el contrato.

Una ceja subió. —¿Y comprarlo con mi dinero falso? ¿Esclavizar mi yo Ofem en mi disfraz de Brefem?

—Se trata de la decisión, ¿no?

—De hecho, lo es, —dijo, su énfasis fue algo extraño. —Algo que de los Ohumes no tiene mucho.

Los Brehumes gobernaban, sin duda. La mayoría de las posiciones de poder, la mayor parte de la riqueza y toda la gloria se destinaban a criar humanos. Menos del uno por ciento de la población, Brehumes obtenía el noventa y cinco por ciento de los ingresos. Ihumes en el diez por ciento de la población ganaba el siguiente tres por ciento, los humanos infértiles tenían la otra mitad. Un pequeño subconjunto de Ihumes nacía naturalmente, pero era cada vez más raro, la mayoría eran de los cultivos en laboratorio y criados en incubadoras.

En la parte inferior, Ohumes del noventa por ciento de la población ganaba el dos por ciento de los ingresos. Los humanos orgánicos no eran nada de eso, su apodo un eufemismo, todo sobre ellos artificial. Inseminado en una placa de Petri, cultivados hasta la viabilidad en una semi matriz, criados de a cientos en incubadoras, los Ohumes eran arrojados a la sociedad con poco más que una educación y algunas habilidades básicas, dejados para hundirse, hundirse o nadar.

Sus contratos eran una cantidad fija, el equivalente a diez años de empleo en el salario medio. Dado que los Ohumes ganaba mucho menos, tenían trabajos bajos que ningún Ihume con respeto propio tocaría, un contrato podría durar el doble de tiempo y cambiar de manos varias veces antes de que fuera "madurado". Aparte de unos pocos afortunados que se ganaron el camino rápidamente fuera del contrato o encontraron un patrón para pagarlo, casi todos los Ohumes pasaban sus primeros veinte años esclavizados.

—¿Cuántos años quedan en su contrato? —preguntó.

—¿Pensando en comprarlo?

—¿Serás mi esclava del amor?

Ella se rio y metió sus caderas en la suyas.

—¿Qué es este lugar?

Un trueno rápido y rítmico vació sus pulmones, un dinosaurio pisando su pecho. Las constelaciones se arremolinaban a su alrededor, una bola centelleante lanzando vigas al perímetro. Ondas de aliento y cuerpos calientes pasaban a través de él, colonias y coñacs mezclados con perfumes y tragos. Bajo la ventisca de luces había una multitud de visitantes, cada uno con un resplandor en su mastoideo.

—Es hora de divertirse, —dijo Ilsa diez minutos antes, agarrando su mano y arrastrándolo al club.

Maris escogió un trago de una bandeja ambulante. La mezcla de coñac, crema blanca de cacao y crema fue adornada con nuez moscada. Las tomas de mastoides con su elección de estímulo habían reemplazado los resoplidos, los soplos, las venas y las pieles, pero el alcohol había seguido siendo la bebida de la lubricación social. Las sustancias subcorticales también podrían conseguirse, pero llevar el vaso a los labios retuvo un encanto del cerebro prehistórico que un dongle no podía reemplazar. Esteres del trago se arremolinaba delirantemente a través de sus fosas nasales hasta su córtex, la bebida bajaba en un trago suave.

—Oye, más despacio, —dijo, arrebatando uno para sí misma y tragándolo.

Riendo, se brindaron con el siguiente.

Bandejas transparentes flotaban dongles por encima de sus cabezas, delicias neurales disponibles para todos. El neuranet privado del club especializado para dongles de orden especial inventados para el metabolismo del cliente. Su pantalla le mostró un menú de neuros: endorfina, yodotironina, tiroxina, efedrina, oxitocina, estrógeno, andrógeno, adrenalina y glucocorticoides.

Evitando la alteración mental para una cabeza clara, giraron a un ritmo tembloroso en calor. La multitud parecía ser una mezcla de cincuenta y cincuenta de Ihume y Ohume, los Brehume rara vez pasaban por tales lugares.

Ilsa atrajo muchas miradas, su figura sensual y sexy.

Una figura tropezó con Maris. "¡Mira adónde vas, imbécil!"

Esquivó el primer corte, sólo un destello en la

mano de movimiento rápido, y bloqueó el segundo. Acaba de perder el tiro las gónadas y el atacante se alejó. Peterson agarró la mano de Ilsa y la remolcó hacia la salida trasera, el golpe palpitante del cuerpo y el sonido desorientador. Lo último que quería era una chatarra de bar en una hoja de antecedentes, su encubierto descubierto.

Ilsa tropezó tímidamente a la puerta y el atacante estaba con ellos, acuchillando a Maris.

Esquivó el corte de arriba, el cuchillo a centímetros de su cara. Un empujón de rodilla a su ingle. Se torció a la derecha y se tambaleó a la izquierda, tomó la rodilla en el muslo y tiró los brazos hacia abajo. Desequilibrado, el atacante cayó. Maris arrancó los brazos y golpeó su rodilla hasta el cuello, y cayó sobre el hombre, su otra rodilla aterrizando en el plexo solar. Las manos perdieron su agarre del cuchillo, que se estremeció en el suelo. Le hundió una cruz a la mandíbula y el hombre dejó de moverse.

Cubierto de sudor, Peterson tomó el arma, se puso de pie, ayudó a Ilsa a levantarse, y se sumergió en el callejón frío desde el club nocturno caliente.

El ritmo atronador los persiguió hacia la calle, luces parpadeando desde la pared lejana.

—Divertido, ¿eh? —dijo en la acera, jadeando y medio doblado, con las manos de rodillas, apoyado en un quiosco cerrado. —Odio ver lo que haces por el peligro.

Un magnamóvil doble asiento llegó hacia ellos, puerta abierta.

¿Abierta? pensó, eso es extraño.

La cabeza y los hombros salieron, y Maris se arrojó detrás del quiosco, empujando a Ilsa. Algo salpicó su lado, sonidos de impactos de bala, y un proyectil silbó a centímetros de su cabeza, siguiendo su camino, el quejido del magnamóvil se desvaneció.

Miró hacia arriba, las luces del vehículo ya se han ido. Accionado manualmente, fuera de la neuranet, sería difícil de rastrear.

"¿Estás bien?"

Su rostro con los ojos anchos asintió vigorosamente.

Ella cree que ahora está bien, pero no lo estará en un momento, pensó, poniéndose de pie y ayudándola a levantarse. Tres, dos, uno.

Ilsa estalló en lágrimas y enterró su cara en su hombro.

Convocó a un magnamóvil y la ayudó a entrar, su cara a un naufragio, su noche un desastre.

CAPÍTULO NUEVE

"No es problema, ¿Sr...?"

"Liepin. Maris Liepin."

Henriete Steponas, Directora Ejecutiva de Infantide Interstellar, miró con curiosidad al hombre al frente de ella, desconcertado con su petición. "¿En qué puedo ayudarte?"

Se sentó frente a ella, un hombre corto y vestido con una camisa arrugada, blazer arrugado, pantalones mal ajustados, zapatos raspados y desgastados. Había insistido en hablar con ella, le había dicho a su secretaria, declinando educadamente revelar el motivo de su visita.

Con cincuenta y cinco años, Henriete estaba en la cima de su carrera, jefa del segundo servicio de fertilidad más grande de la Coalición con una cuota de mercado del treinta por ciento. Trillones de parejas querían un bebé. Infantide Interstellar lo hizo realidad. Más de cincuenta mil millones de personas nacieron, la compañía declaró.

Para los pocos selectos que podían pagar la tarifa de implantación, por supuesto.

La oficina a su alrededor declaró su ostentación. Las ricas texturas de la madera de Xilous se arremolinaron por el escritorio. Estantes de piedra tenían fotos de parejas felices y políticos sonrientes. Alfombras de lana gruesa Nidra entrelazaron sus intrincados patrones en todo el suelo. Las sillas gruesas tapizadas en satén Houxan dieron comodidad a los suplicantes. Las placas en la pared cerca de la puerta declararon sus elogios por el trabajo de la empresa.

—Bueno, señora Steponas, es mi esposa.

Nunca había oído eso antes, pensó. —Perdóneme, señor Liepin. Sería mejor si fuéramos a hablar en su presencia.

—No, no, no lo entiendes. Me pidió que viniera, insistió en ello. No se siente bien, eso es todo.

—Perfil localizado, Sra. Steponas, —murmuró su secretaria.

La información se derramó en su pantalla. Maris Liepin, Ihume, de cuarenta y cinco años, criado en una familia, en ventas de suministro de restaurantes, sin condiciones médicas conocidas, casado por cinco años con Ilsa Liepin, Ihume, de treinta años, cultivada en un capullo y criada en incubadora, sin información médica. Aparte de su diferencia de edad, eran como los millones de parejas que venían a través de las oficinas de Infantide cada año, buscando su sueño.

—Lamento oír que no está bien. ¿No está relacionado con su condición, espero?

—No, no, sólo un poco de miedo en el club anoche. Me pregunto si usted podría describir su proceso, aquí.

—Permítanme obtener uno de nuestros facilitadores de fertilidad...

Levantó la mano. —Son muy serviciales, te aseguro, pero...

Una bandera apareció en su pantalla. Su registro en el archivo de la compañía. ¿Por qué no se salió eso con sus perfiles? Henriete se preguntó, el registro que indica que los Liepin habían comenzado a ver a un consejero de fertilidad en una oficina diferente hace seis meses.

—¿De dónde sacas tus embriones?

Una pregunta extraña, pensó. —De proveedores calificados y registrados, de los que insistimos en el inventario de la más alta calidad.

—¿Plavinas Incubation entre ellos?

—Eran nuestro principal proveedor, —dijo. —Horrible, lo que pasó, una parodia absoluta. Se están buscando fuentes alternativas en este momento. Cualquier retraso en la obtención de un embrión viable para usted y su esposa será breve, se lo aseguro.

—¿Qué controles internos tienes para monitorear su calidad?

Ella parpadeó, preguntándose si sentirse ofendida. "Sr. Liepin, le aseguro..."

—¿Cómo sabes que no han sido manipulados?

—¿De qué manera, señor Liepin?" ¿Qué quiere? se preguntó ¿nuestro manual de procedimientos internos?

—El vigésimo tercer cromosoma. ¿Cómo sabes que no ha sido manipulado?

—¿Cuál es el propósito de su pregunta, señor Liepin? ¿Por qué estás realmente aquí?

—¿Cómo lo sabes?

—Permítanme poner sus preocupaciones sobre la integridad genética a descansar, señor Liepin. Nuestros embriones son el producto de fertilización limpia realizada en las instalaciones principales de nuestro proveedor bajo la dirección de un personal médico altamente calificado y certificado.

—Así que usted no sabe, ¿verdad?

—Nuestro producto cumple con todas las pautas regulatorias, que les fueron proporcionadas a usted y a la Sra. Liepin al momento de la inscripción. Si no está completamente satisfecho con nuestro producto, estaré encantada de reembolsar su dinero, señor Liepin.

Lo miró fijamente, parpadeando alegremente.

—Por favor, deténgase en la recepción para dar una retina para el reembolso, señor Liepin. No estoy segura de cómo sigues encontrando fallos con un producto impecable, pero no importa. Un placer conocerte. Ella se puso de pie, se acercó al escritorio para estrecharle la mano, y lo acompañó fuera de su oficina.

¿De qué coño se trataba? Henriete se preguntó, llamado su jefe de control de calidad en su trake. —Estamos incrementando las pruebas aleatorias al cinco por ciento.

Maris miró hacia la bahía de Matsalu. Una desagradable brisa les arrebató las gotas de agua a los sombreros blancos, lanzándoles gotas ardientes. El mar de abajo golpeó el muelle, el estruendo reverberando a través de la piedra a sus piernas. Un cielo gris en cuclillas sobre ellos, nalgas de nubes abultadas listas para explotar con lluvia diarreica.

Ilsa se metió bajo su brazo, como para refugiarse allí del clima incontinente.

Se volteó hacia ella. —¿Estás lista para esto?

—Listo como siempre lo estaré, siempre y cuando nadie intente matarnos.

La mirada hueca que había tenido el día anterior parecía menos prominente ahora. El doble atentado contra sus vidas también la había sacudido, y había conseguido que el teniente Balodis cargara nuevas identidades para ambos. Había sido un error, se había dado cuenta demasiado tarde, haber usado la misma identificación ayer en Infantide Interstellar.

Se veía inteligente con su chaqueta y botas perfectas. No parecía tonto en su descuido perpetuo.

Sostuvo su dongle mastoideo. "¿Quién soy hoy?"

La vibración fenomenológica le pareció ridícula y patética. Se mordió el labio en una risa y un grito. "Somos inspectores del Departamento de Control de Carbono, División de Niveles de Organofosfato, Agencia de Nano proliferación.

Se echó a reír y pareció a punto de llorar. "Nadie va a creer que tal agencia existe."

"Fue lo mejor que pude hacer. Decidió no decirle que había trabajado para ellos. —Hemos detectado un aumento de las densidades de monóxido de carbono en este hemisferio, y estamos inspeccionando todas las fuentes probables. Sabile Nanobio Research tiene un historial atroz de violaciones. Inspección sorpresa.

—¿Seguro que no son los que trataron de matarnos la otra noche?

Estaba a punto de responder cuando se dio cuenta de que estaba siendo faceta.

La planta de producción de varios pisos se retorció hasta su punto máximo en una hélice cuádruple, cuatro espirales retorcidas hacia el cielo, tramos de glasma impersonal sin costuras en el medio, el sueño sublimado de un arquitecto loco. Un signo modesto de su apodo en colgado por encima de la puerta. La parte trasera de la planta baja emitió un flujo constante de magna camiones y carros, una división que lleva los vehículos de envío a un depósito subterráneo, el resto del complejo se extendía por debajo del borde oriental de la bahía de Matsalu. Su distancia desde el muelle sugería que Sabile Nanobio podría haber empleado buques oceánicos, un anacronismo en el transporte suborbital, orbital e interestelar de hoy en día.

—Vamos —dijo ella.

Al irse del muelle, se dio cuenta de que había estado perdiendo el tiempo. Se puso su dongle mastoideo.

Ella abrió el camino hacia el patio delantero.

Un recepto hume estaba sentado dentro de una cabina detrás de un glasma grueso.

—Ilsa Krumins, inspectora principal de nano proliferación, le dijo al hombre, lanzando un gesto vago a Peterson, su placa en la mano. "Inspector Asistente, Maris Ozolin. Esta es una inspección sorpresa". Ella sostuvo su mano, un holo ardiente con el texto rojo del titular. "Usted no le dirá de nuestra llegada a nadie. Te multarán cinco mil lats si lo haces. Hemos detectado un aumento de las densidades de monóxido de carbono en la zona, y estamos inspeccionando todas las fuentes probables".

Sus ojos se volvieron anchos. "Sí, señora."

Sosteniendo su placa, Maris entró al Neuranet de la compañía bajo la autoridad reguladora.

El hombre detrás del glasma estéril los miró a ambos. "¿Qué pongo como el propósito de su visita, la señora Krumins?"

—Revisión trimestral rutinaria de las instalaciones.

—Sí, señora. Los saludó. Los paneles Glasma se separaron.

La actividad en el neuranet de empresa no se veía diferente cuando entraron en la instalación, un mapa que apareció en la pantalla de Maris. Casi esperaba un pico de actividad cuando se alertaran sobre una inspección.

—Sección de detección de nanoquinas, quinto piso, le dijo el mapa. Los ascensores sonaron en el vestíbulo. Se subió a uno, con otros tres individuos que subían de niveles más bajos.

—Ah, caras nuevas, —dijo una mujer. —Soy Klara Zenonas, Marketing. Encantada de conocerte. Ella sacó su mano.

—Ilsa Krumins, Control de Calidad.

—Maris Ozolin, lo mismo. ¿Quinto piso, por favor? No pudo alcanzar los controles.

Klara apretó el botón, diciendo: "No me sorprende que estemos apretando el Mar del Que. Ese brote de Plavinas nos tiene a todos sudando. Me alegro de que no fuera nuestro contrato".

—¿Usted oyó acerca de Sarfas en Telsai? Ilsa preguntó.

Klara asintió, su blazer de color óxido y falda ocre

lo suficientemente brillante como para soportar cualquier fuego. “Pobre tipo. Golpeó la comercialización en el control de daños. Pensé que había evitado conseguir un trabajo de verdad”.

—Tu atuendo parece mucho trabajo, —dijo Maris.

—Algo por lo que eres famoso, ¿verdad, Ozolin? Ilsa lo coda a codazo.

—Tiene sus redenciones.

Las puertas se separaron, y el ascensor anunció, “Quinto piso”.

El rellano contenía una pequeña zona de recepción con dos puertas, una de ellas una puerta de sala limpia, que se abrió al pisar la ventana de recepción.

Un técnico subió al ascensor, asintiendo sin reparos, ajustando su bata de laboratorio.

—Estamos aquí para ver a la Doctora Taska Ipolita, por favor, le dijo Ilsa al hombre detrás del glasma.

—¿Tienes una cita?

Ella mostró su holo. —No necesito una. Esto es una inspección. Usted no le dirá de nuestra llegada a nadie. Usted será multado cinco mil lats si lo hace.

La expresión del hombre no cambió. —La Doctora Ipolita no estará disponible hasta dentro de veinte minutos. Por favor, siéntese.

¿Qué diablos están haciendo que no quieren que veamos? Maris se preguntó. Coordinó el sistema de posicionamiento con las cámaras del quinto piso y localizó a la Doctora Ipolita.

Estaba dándole a un hombre de ropa apretada, su bata de laboratorio abierta aleteando por encima de su desnudo trasero. Holos de actividad similar eran abundantes, espeluznantes tarifas de neuranet para los vicariamente interesados.

—¿Por dónde? Ilsa preguntó.

Maris apuntaba a la otra puerta, la que no tiene la brida. —Por ahí, primera puerta a la derecha. No querría ensuciarse en una habitación limpia, pensó.

Ilsa la atravesó y se tomó a la derecha inmediatamente, Maris en sus talones. Atravesó la puerta de la oficina. —Doctora Ipolita, mal momento, ya veo. Ella protegió sus ojos. —Agencia de Nano proliferación, inspección sorpresa. Vamos a esperar en el vestíbulo. Ella retrocedió y cerró la puerta.

Perfecto, Maris pensó, viendo a la doctora en la cámara luchando para vestirse. Es mejor tener un poco de apalancamiento.

Ipolita entró en el vestíbulo momentos después, la imagen de la propiedad, sin un hilo fuera de lugar. "Inspector Krumins, Inspector Ozolin, por favor, pasen." En su oficina, ella les hizo un gesto para que se sentaran frente a ella, un fino rubor teñido en sus mejillas. Mientras se sentaba, les dio una visión de los frutos que había colgado en la exhibición hace unos momentos.

—Estamos aquí por Sarfas en Telsai.

—Su agencia estuvo aquí hace tres días, —dijo el

doctor Ipolita, —horas después de que ocurriera. ¿Qué más puedo decirte?

—Cómo se pudo haber hecho. Ilsa miró a la mujer frente a ella.

Es buena, pensó Maris.

—Todavía estamos investigando, por supuesto, —dijo. —Me estás pidiendo que especule.

El inspector Krumins le dio a la doctora una breve sonrisa sin alegría.

—Siempre que se tome como eso, y no como evangelio. Ipolita levantó una ceja.

Ilsa dio un pequeño guiño.

—Muy bien, inspectora. Sospechamos que los nanoquinas lo infectaron sin encender nanotectores en ninguna parte de la instalación al enmascarar sus superficies con organofosfatos. Se dieron una piel. Cómo, aún no estamos seguros. La infiltración de la Plavinas Incubation fue probablemente similar, pero no estoy familiarizada con los detalles de esa indignación". Ella negó con la cabeza. "Las parejas de todo el mundo suplican por un niño durante años, y un cuarto de millón de embriones fueron aniquilados en momentos".

No sorprendió a Maris que la gente copulara en cada oportunidad, la desesperación infecciosa, la supervivencia de las especies es primordial. "La infiltración de Plavinas tenía un vector obvio", dijo. "Las nanoquinas fueron entregadas en un óvulo depositado justo ese día. ¿Cuál fue el vector probable que infectó a Sarfas?"

La doctora Ipolita se encogió de hombros. "Cualquier material orgánico u organismo biológico podría haberlo traído. Las nanoquinas podrían haber entrado en una entrega de sándwiches, en un pedazo de fruta, en la parte posterior de una pulga, o en la cera de sus orejas. ¿No se lo comieron desde las suelas?"

Maris asintió. Las organizaciones de noticias de alguna manera habían robado la información o habían comprometido una fuente, investigaciones activas mantenidas bajo estrictos protocolos de confidencialidad. No fui yo quien les dijo, pensó Peterson.

—Podría haber estado en la mermelada entre los dedos de los pies. Todas las especulaciones, Inspectora. Lo siguiente que te preguntarás es por qué no proliferan a través de vectores inorgánicos.

Ilsa frunció el ceño. —No actúe estúpido, doctora. Ambas sabemos que los medios inorgánicos son inanimados.

Ipolita miró entre ellos. "Como lo indica nuestra investigación, sí." Ella sonrió.

CAPÍTULO DIEZ

—¿Qué crees que quiso decir con eso?

Maris miró a Ilsa, el doble asiento tarareando debajo de ellos, el paisaje urbano que brillaba pasando rápidamente. Se merodeó sobre la pregunta como las nubes merodearon sobre la ciudad. "Extraño, ¿no? El carbono se combina con todos los demás elementos de la tabla periódica, una puta química. La orgánica es vida."

—Y ella estaba insinuando...

—Pantalla, micrófono, trake y dongle (llave electrónica).

—¿Qué acabas de decir?

—Los únicos objetos reconocibles que quedaban después de que las nanoquinas masticaran a Eduard Sarfas fueron su pantalla, micrófono, comunicador y dongle. Toda su neurotrónica. Y su trabajo dental, pero eso es superfluo.

Ilsa parecía desconcertada. "No entiendo."

—Artículos inorgánicos, todos.

—No estás insinuando que el agente se propaga a través de la neuranet, ¿verdad?

Maris negó con la cabeza. —No, no veo cómo es posible. Pero la idea le molestó en un nivel por debajo de la articulación, una roncha creciendo bajo la piel de la conciencia, su insidioso pus e hinchazón debajo de los tejidos de su mente.

—¿Qué buscas? Trabajé para ellos, ¿recuerdas?

—¿Dónde se instalan las neurotrónicas? ¿A qué edad?

—Hay un complejo de guarderías a ocho kilómetros de aquí. Diez mil Ihumes siendo criados en incubadoras de quinientos cada uno, una pequeña ciudad en un solo edificio.

—¿A quién vemos sobre la instalación de neurotrónicas?

—Destino: Desarrollo de guarderías de Plavinas, Crestonia.

El magnamóvil se desvió y despegó de esa dirección, sin sentido, excepto de su destino.

A veces deseaba poder ser tan impensable como eso. La maldición de la conciencia coloreó su visión de la vida, una nube de motivo turbio, un menú de moral. La elección nunca fue entre el bien y el mal, sino de menos contra más destructiva. No hacer daño ya no estaba entre las opciones para nadie. Hacer el menor daño al menor número de personas era la mejor dicotomía haya tenido. Haces daño simplemente viviendo. Haces daño simplemente muriendo.

La guardería se parecía a todos los edificios a su alrededor, excepto por sus ventanas. En el interior de casi todas las ventanas había algún objeto de color personal notablemente brillante, como el dibujo que sus padres insistían en mantenerlo en la nevera. Era terrible, pero lo preciaron terriblemente, y se había preguntado por qué. Dibujos de figuras de palo y máscaras de papel mache, tierras baldías de acuarela y conglomeraciones de tiza, lo habían guardado todo, como si acumularan evidencia del genio de su hijo, nada de eso evidenciando el destello más delgado de un talento extraordinario, todo lo que evidenciaba era su mediocridad. Suponía que, si lo hubiera pedido, habrían dicho que lo guardaron para mostrarle su valor, para ayudarlo a aprender a valorar su propio trabajo. No lo sabía, sabiendo que era basura, avergonzado se quedó allí, un recordatorio ardiente de lo inútil que era.

Los niños de la guardería eran sometidos a algo similar, colgado en sus ventanas, guardado allí en la amonestación de los padres de los capullos. El edificio tomó toda la manzana y se elevó veinte pisos. Una cara o dos mirados desde la ventana y el borde del techo. Su mente cortada y dividida, dando parte de cada piso a aulas, gimnasio, cafetería. Alrededor de un piso por año, estimó. Diez mil niños, quinientos por piso. Los más viejos que viven en la parte superior, adivinó, los más jóvenes en los pisos inferiores que necesitan el mayor cuidado.

Parejas en todas partes que quieren hijos, y aquí estaban, criados en incubadoras.

—¿Alguna vez has estado en un lugar como este?

Negó con la cabeza.

—Yo sí, criada en uno en las afueras de Telsai.

—¿Cómo fue?

—Sobre todo malo, pero a veces bien. Odiaba el regimiento. Mis profesores eran justos, y mis madres de capullo eran perras. Tenían que serlo, supongo.

Maris le entregó el dongle mastoideo de hoy. "Departamento de Servicios de Manutención Infantil, Oficina de Integridad Gestacional, División de Angustias para Adolescentes."

Ilsa esnifó. "¿De dónde sacas estos nombres? Un idiota en encubierto sólo los inventa, ¿verdad?" Ella se lo puso y actualizó su dispositivo de mano con la nueva identificación.

Él sonrió y se deslizó su dongle. "Correcto", dijo, yendo hacia la entrada, deseando que ese fuera el caso.

Ella tomó la delantera. El pórtico enmarcado prestó al edificio su único punto de grandeza, el resto tan plano sin forma que parecía una institución.

Las extremidades de un nanotector ondearon a través de ellos y lo dejó entrar.

El atrio interior resonó con el vacío de los sueños abandonados. Sería un buen lema, pensó Maris. "Abandonen los sueños, todos los que moran aquí." Paredes oscuras peleaban con suelos de baldosas claras. Las vitrinas de Glasma albergaron recuerdos de orgullo institucional, trofeos deportivos y placas de honores que competían con relicarios oxidados y placas crujientes. Las sillas sobrecargadas miraban resentidamente a un sofá celoso, ambos sufriendo de negligencia cubierta de polvo.

—¿Puedo ayudarle? —preguntó una voz aguda. Tenía que ser joven, el rostro detrás del glasma inocente y puro, los ojos demasiado brillantes con entusiasmo.

—¿Te vas a graduar pronto? Ilsa preguntó, sonriendo. —Ya casi estás, jovencita. Ilsa Berzin, División de angustia adolescente, aquí para ver al director médico. Mostró a la chica de ojos brillantes su portátil.

—Maris Petras, lo mismo. También mostró el suyo.

Un pitido silenciado detrás del glasma indicaba que sus identificaciones habían sido verificadas. "¿Tienes una cita?"

—Inspección sorpresa, —dijo Ilsa.

—Voy a ver si ella está disponible. Por favor, siéntese.

Se alejaron de la ventana, pero ninguno se dirigió a una silla.

—El último aquí hace un año, según nuestros archivos, —murmuró Ilsa.

—La División Labile de Latencia estuvo aquí hace tres meses, y el Terror Infantil la semana pasada.

Ella lo miró con los ojos abiertos. —Y la Irritabilidad Infantil ayer, ¿verdad?

—Nunca he oído hablar de ellos.

—¿Señora Berzin, señor Petras? Eugeni los verá ahora. El ascensor está a su derecha. Décimo piso y a su izquierda, por favor.

Ilsa y él fueron allí cuando una mujer fue escaneada en la entrada por el nanotector. Ella les dio una mirada mientras se acercaba a la glasma, su mano extendida ya. "División de Irritabilidad Infantil para ver al director de desarrollo, por favor."

Las puertas del ascensor retumbaron a un lado, el interior se veía oscuro, golpeado por un montón de niños. Maris no vio ningún botón.

—Próxima parada, décimo piso, —dijo el ascensor con una voz de robot cansada.

Operación remota, por supuesto, el detective pensó.

El vestíbulo del décimo piso se veía poco diferente del atrio de la planta baja. Las paredes de baldosas oscuras silenciaron la poca luz que se filtraba a través de un glasma sombrío, desafiando los intentos para reflejarla de los suelos claros. Los pasillos largos se extendían a ambos lados del vestíbulo. Las vitrinas de glasma podrían haber albergado recuerdos de orgullo institucional, pero se quedó mirando a los transeúntes con un vacío inductor de culpa. Frente al vestíbulo se encontraba una zona de recepción empotrada, donde las sillas utilitarias llenas de mocosos olfateadores se miraban entre sí en filas plácidas e indiferentes, cada asiento ocupado.

Las miradas fueron hacia Ilsa y Maris cuando bajaron del ascensor.

Entonces, como un grupo, se alejaron. Evalúe, catalogue, ignore.

Debemos parecer burócratas, pensó. Si hubiéramos parecido una pareja, nos habrían acosado. Entre los niños había codos raspados, mandíbulas hinchadas, rodillas laceradas, rostros manchados de lágrimas. En la recepción se sentó un niño mayor, de edad similar a la recepcionista de la planta baja.

—¿Aquí para ver a la enfermera Vasiljev? Detrás del niño había placas que proclamaban la experiencia de los que estaban en la oficina, piel de oveja bajo glasma.

—Doctor Eugeni, me dijeron, —dijo Ilsa, mostrándole su mano. —Ilsa Berzin, Enlace, División Angustia Adolescente.

—Maris Petras, lo mismo. También mostró el suyo, empezando a disfrutar del papel de compañero.

—Mis disculpas. El doctor Eugeni ha sido llamado, pero tal vez la enfermera Vasiljev pueda ayudarles. Por favor, siéntense. Ella estará con usted tan pronto como sea posible.

Excepto que no había asientos.

—Señorita, ¿vamos a ser aniquilados por nanoquinas, también?

Maris miró a una chica con una gaza empapado en sangre metido en una fosa nasal. Se había acercado a Ilsa y la miraba con ojos llanos y lamentables.

—No, niña, ¿por qué crees eso?

—Eso es lo que pasó en ese lugar de incubación, ¿no?

—Bueno, sí, sucedió allí, pero eso no significa que va a suceder aquí. ¿Eso te asustó?

La chica asintió vigorosamente. "Yo soy Mandy."

—Ilsa. Encantada de conocerte.

—Maris, —dijo, cayéndose a una sentadilla. —¿De dónde conseguiste la nariz bonita?

Se rio, su mano se fue a la gaza. "Peleando con Tommy. Me llamó algo malo."

—No debe haber sido cariñito o amorcito.

—¡Asco! ¡Le daría una paliza al idiota por eso!

—Mandy, cuida tu lenguaje, —dijo la voz de una mujer desde detrás de Maris.

Se puso de pie y se volteó.

—Soy la enfermera Zanna Vasiljev. El doctor Eugeni ha sido llamado. Pase, por favor. Voy a ver a Mandy mientras hablamos. Miró a la habitación llena de niños que esperaban su atención. "Si no te importa".

Ella los llevó a través de la puerta lateral a una sala de examen y pidió a la niña que se sentara en el sofá del examen. —Su oficina estuvo aquí hace unos días, algo que ver con el brote de Incubación.

Maris y ella intercambiaron una mirada. —¿Usted habló con nuestros colegas? Ilsa preguntó.

—Oh, no. El Doctor Eugeni insiste en manejar todas las investigaciones él mismo, cuando esté disponible. ¿En qué puedo ayudarte?

—Sólo unas preguntas, Sra. Vasiljev. ¿Cuál es la edad habitual que la neurotrónica se instala?

—¡Diez! La niña dijo, chillando de alegría. —¡Voy a tener el mío la próxima semana!

—¿Cómo es el proceso aquí? Maris preguntó.

La enfermera comenzó a frotar el área alrededor de la herida. "Está contratada con Balozi Neurobiotics. Traen un centro móvil de cirugía, lo bajan al techo. Tiene empleados veinticuatro siete, cada niño tarda unas dos horas. El proceso toma alrededor de tres semanas para los quinientos niños. Altera su rutina terriblemente. Y en algunos niños..." Miró a la chica, luego a Ilsa y Maris.

La neurotrónica va mal, Maris terminó en su cabeza. Se preguntó cuántos eran.

—¿A la edad diez? Ilsa dijo. —¿Antes de que se haya determinado su estado reproductivo?

La mirada de la enfermera se estremeció. —Algunas chicas han llegado a la menarquía para entonces, pero la mayoría no lo han hecho. Y muy pocos chicos han manifestado signos de adolescencia. Pero estás preguntando acerca de las pruebas de fertilidad, ¿no?

Ilsa asintió.

—No es algo que conducimos hasta el decimotercer año, —dijo la enfermera Vasiljev.

Maris sintió algo tirando en el bolsillo de su chaqueta. El nanotector que le había dado el Doctor Briedis se arrastraba por su chaqueta.

—¿Qué es eso, señor?

Puso su dedo delante de él, y el dispositivo envolvió el dedo con sus filamentos, apenas llegando alrededor. Lo sostuvo para que ella lo viera. —Un nanotector, Mandy, diseñado para detectar una invasión de nanoquinas desde cien metros.

—Luce glamoroso.

Maris levantó una ceja y miró a las dos mujeres.

—Una nueva palabra se extiende entre los niños, —dijo la enfermera. —Significa que les gusta. Vete, Mandy, estarás bien si te quedas sin pelear.

—Sí, enfermera Vasiljev. La chica se volvió hacia Ilsa y Maris. "Encantada de conocerlos", y ella salió de la habitación.

—¿Balozi Neurobiotics estará aquí la próxima semana para comenzar la instalación neurotrónica? Maris preguntó.

La enfermera asintió. —Están montando el centro de cirugía móvil en el techo ahora. El doctor Eugeni está ayudando a coordinarlo.

El chico se bajó del ascensor justo cuando Maris e Ilsa se acercaron.

Parecía cualquier otro chico que iba a la enfermería después de un percance. Ambas rodillas estaban despellejadas, sus ojos estaban rojos por el llanto, y estaba lloriqueando.

El nanotector envuelto alrededor del dedo de Maris chilló, un tuit tan fuerte que hizo que todos cerraran los ojos y se agacharan. Su cuerpo espinoso brillaba de color rojo.

—¡Deténgase justo ahí! Maris dijo.

El chico se congeló, con los ojos bien abiertos. —¿Qué hice?

La enfermera Vasiljev se hizo cargo. "¡Edgar, bájate al suelo, ahora, por favor!"

El chico lo hizo, mirando como si estuviera a punto de estallar en lágrimas de nuevo.

—Señora Berzin, Señora Petras, lleve a los otros niños dentro de la oficina. Y silencia esa cosa, por favor.

Maris tocó la parte de atrás y el grito cesó. Ilsa y él comenzaron a pastorear a los niños al vestíbulo.

Los estroboscópicos superiores comenzaron a parpadear, y una alarma comenzó a hacer ruido. El chico se adosó contra las puertas del ascensor. El miedo le fracturó la cara.

—Infección de nanoquinas, Desarrollo de Guarderías de Plavinas, vestíbulo del décimo piso, gritaba la enfermera. "Hombre, once años, Edgar Sirmais." Hizo una pausa un momento. "¡No, no sé cómo se infectó!"

Recordó haber visto niños mirándolos desde el techo, vio las rodillas despellejadas, sabía dónde había estado el niño. "Estabas justo en el techo, ¿verdad, Edgar?"

—¡Estaba en el techo! Gritó la enfermera.

El neuranet del edificio era inaccesible para él, Maris no podía decir con quién estaba hablando. Servicios de emergencia, adivinó.

Ilsa lo miró desde donde estaba medio dentro de la puerta, los niños se metieron en la oficina detrás de ella, la enfermera y el niño infectado al otro lado del vestíbulo desde ellos, cerca del ascensor. Ella le hizo un gesto y le dijo en voz baja: "¿No se verá bien en nuestros currículums si nos quedamos, ¿verdad?"

—Tienes razón. A los agentes secretos no le gustará si nos quedamos. Tiene que haber una salida de atrás.

Se volvió a hablar con uno de los niños detrás de ella. —El personal está en la parte trasera del edificio.

Maris se volteó para echar un vistazo a la escena de nuevo, listo para deslizarse por el camino trasero.

En las puertas del ascensor, Edgar de once años sollozó aterrorizado. —¡Quítamelos de encima! ¡Quítamelos de encima! Las nanoquinas eran demasiado pequeñas, no había evidencia de que estuviera infectado.

—¡Mis pies! Gritó él, y se cayó sobre su cara. Las manos con garras en el suelo, trató de alejarse de sus propias piernas. charcos de proto agrupado donde sus pies habían estado. Pateó, gotas salpicando desde los tocones de la mitad de la espinilla. Su mirada fue a los talones de color marrón rojizo. Su grito cuajó incluso la sangre delgada y despiadada en las venas de Maris.

—¡Ayúdame! La mirada de Edgar encontró a Maris, y extendió ambas manos, el terror destrozando su rostro. La licuefacción llegó a las rodillas. El sistema de nano extinguidor se puso en marcha, las boquillas girando hacia el niño, recubriéndolo con una capa de espuma blanca e inorgánica.

Sin ayuda, Peterson vio al niño desintegrarse en una mezcla de jarabe de color marrón rojizo, la espuma sólo capaz de evitar que las nanoquinas se extendieran a los demás. Chocolate caliente con crema batida en la parte superior era todo lo que quedaba en un charco en el suelo.

—Vamos, Maris.

Ilsa lo llevó a la oficina, y una chica los guio a través de una serie de pasillos a un rellano de ascensor, estroboscópicos y alarmas. El panel del ascensor tenía un bloqueo de retina. Ilsa maldijo.

Se obligó a actuar. "Envía a la chica de vuelta", le

dijo Maris, y en su comunicador murmuró: "Encubierto, acceso remoto".

La computadora de la comisaría de Telsai respondió después de un momento. "¿Consulta?"

Puso su ojo en la retina. "Desencriptar los controles del ascensor del personal, Desarrollo de Guardería de Plavinas", dijo, su neura link transmitiendo la imagen de su pantalla.

"Descifrando, un momento, por favor", dijo la voz de su comunicador. Un reloj apareció en su pantalla. "Descifrado completo."

La puerta del ascensor se deslizó a un lado. El viaje al primer piso pareció tomar para siempre. El chico suplicando ayuda no dejaría su mente. En algún lugar distante, un lamento se hizo más cerca, los vehículos de emergencia de quinas en el camino.

En la planta baja, la entrada de los empleados estaba justo más allá de una sala de descanso, entradas a vestuarios de hombres y mujeres a cada lado.

Maris salió por la entrada lateral, un grupo de vehículos de emergencia alrededor de la parte delantera, con las luces que se reflejan en los edificios circundantes. Llegaban más cada momento, cada lamento dando un salto discordante mientras el vehículo se detuvo.

Nadie los vio irse.

Dos cuadras más, Maris convocó a un magnamóvil. Mientras el carro de doble asientos se tambaleaba a una parada frente a ellos, miró a Ilsa. "¿Quieres visitar a Balozi Neurobiotics?"

—¿La empresa que instala la neurotrónica? Ella entró a su lado. —¿Quiénes somos, esta vez?

Señaló con un dedo a cada uno de ellos mientras la puerta del magnamóvil se cerró. "Ilsa Dioniz, Oficial de Cumplimiento, y Maris Kristupas, Técnico de Especificaciones, Departamento de Neuralítica Regulatoria, División de Especificaciones de Red. Primero cambiamos de disfraz en el hotel".

—Para cuando terminemos, no sabré mi nombre ni cómo me veo.

Maris ya no reconocía quién era.

CAPÍTULO ONCE

La noticia de la muerte del niño por nanoquinas en el Desarrollo de Guarderías de Plavinas había saturado la neuranet por la tarde. Llegaron a las oficinas de Balozi Neurobiotics en el sector oriental de Crestonia, llegando allí una hora antes de la hora de cierre, la ciudad era tan grande que no podía ser atravesada por magnamóvil en un solo día. Deberían limitar el tamaño de la metrópolis por la velocidad de su transporte, pensó.

Tres horas en un magnamóvil hicieron que Maris se sintiera tan viejo como las colinas.

"Perfil, Balozi", dijo Peterson. Balozi Neurobiotics daba entregas de neurotrónica a escala de masas utilizando nanoquinas. Su enciclopedia de citaciones había obligado a los tribunales a abrir un nuevo tribunal. Equiparon al personal del departamento de marketing con extintores de incendios y ropa de relaciones públicas libre de fricción. El margen de beneficio de la compañía parecía inmune a las multas y los pagos de demandas. Las disposiciones de no divulgación mantuvieron sus prácticas más atroces fuera de la neuranet, a pesar de la ciber táctica de la guerrilla. La compañía desplegó legiones de cabilderos para descarrilar los controles legislativos, cuadros de asociaciones comerciales para confundir la supervisión regulatoria y grupos de tanques de reflexión para ofuscar la verdad. Los fusiles de demandas golpearon a cualquier beligerante que decidiera oponerse a ellos. Balozi encabezaba todas las listas de los negocios más exitosos de la Coalición.

Peor que Sabile Nanobio, Maris pensó.

Rodeado de vallas, el complejo principal de Balozi se extendía hacia afuera y hacia arriba en una maraña de cordel arquitectónico. Habían importado un sistema de transporte de neumo-tubo pesado en infraestructura y ligero en los pies. Tubos glasma como espaguetis entre edificios y como fideos por sus lados. Cápsulas corpusculares a través de neumo-tubos, como la avaricia. Un rincón del complejo se dedicó a contratos clandestinos del gobierno, sus lugares de construcción se dieron a ver en la pantalla de Peterson. Fabricaron serpientes cerebrales, neuro-gusanos, analgésicos e info-extractores, todas las exigencias de la preservación gubernamental, la mayoría de las herramientas disponibles para los interrogadores de la policía.

—Parece premonitorio, —dijo Ilsa, saliendo del magnamóvil, con su casco de pelo rubio azul. El personal del hotel no había exhibido una idea de preocupación por sus cambios repentinos de apariencia.

—Luce premonitorio, —dijo, con su mirada en el complejo. Maris había ido por la ruta gris, un de electricidad en la cabeza. Se volvió a mirarla, con el pelo crujiendo. "¿Quieres hacer hasta esto?"

—Por supuesto. Veo que Balozi tiene una docena de litigios pendientes contra Neuralítica, cinco involucrando a Net Spec. El brillo de una pantalla activa centelleado en su ojo.

—Nunca han ganado un solo caso.

—Nos mantienen tan atados en la corte que rara vez hacemos una visita al sitio. Ella le sonrió. "Ocasión especial, ¿verdad?"

—Correcto. Maris sonrió de nuevo. Un chico de Desarrollo de Plavinas nunca volvería a sonreír.

Entraron en el quiosco de todo-glasma en el perímetro de la propiedad, una batería de holo cámaras enfocándose en ellos. Ilsa blandió su palmcom, su holo carnet centelleando con el emblema de la agencia. "Ilsa Dioniz y Maris Kristupas, Net Spec." Maris también sostuvo la suya.

El traje de alquiler en insignia y caqui roncó con desprecio. "Ningún gobierno más allá de este punto. ¿No sabes leer?" Hizo un gesto en una señal con su palo de salto. Un borrón de letras recorrió varios cientos de elementos antes de que la palabra "gobierno" poblara el espacio.

—¿Dónde te gustaría ese palo de salto, cara de idiota? Maris preguntó.

Su cara se puso morada con apoplejía. El hombre abrió su ventana de glasma y se alejó de Peterson.

Se apartó y lo ayudó desde el quiosco hasta el pavimento, con la rodilla en la espalda caqui.

Ilsa entró por la ventana, y la puerta se deslizó a un lado.

Maris estaba arriba y a través de la puerta antes de que la placa supiera lo que lo golpeó. La puerta se deslizó detrás de él, el guardia encerrado afuera.

Una cápsula estalló a una parada en frente de ellos, el neuma-tubo se arqueó en una maraña por encima del complejo.

—No, es una trampa, —dijo Maris, señalando a la entrada a cincuenta metros por la caminata, pasto cortado a ambos lados. Para cuando llegaron allí, se había formado un comité de bienvenida.

Ilsa empuñaba su palmcom como una espada. "Orden de búsqueda."

Un sargento de ejercicios sensual y con zapatos limpios y pechos de bala puso sus manos sobre sus caderas. "No me importa si tienes un ejército, idiota." Su equipo de matones se preparó para un apuro.

—¿Qué tal un lanzador de idiotas? Maris niveló su pistola de plasma, con la punta de fuego.

—¿Qué está pasando aquí? Una mujer vestida de negocios formal salió de una puerta lateral. —Sargento Ozols, gracias por su rápida respuesta. Eso es todo.

—Sra. Balozi, usted dijo...

—Dije que va a ser todo.

Ozols blanqueó y miró a Balozi. "Sí, señora." El contingente de seguridad se dispersó.

—Mis disculpas, Sra. Dioniz, señor Kristupas, —dijo la mujer, descendiendo los escalones. —Soy Lizabet Balozi, presidente y Directora Ejecutiva. La compañía ha sido puesta en alerta máxima, el chico del Desarrollo de Plavinas ha sido gran noticia. Es sospechoso que no pueden encontrar esos enlaces de La Angustia Adolescente, ¿no crees?

—¿Por qué sería sospechoso, señora Balozi? Ilsa preguntó, con inocencia.

—Señalaron que el centro de cirugía móvil Balozi se estaba instalando en el techo, de donde supuestamente venía el niño. Los medios de comunicación pronto interrogarán al contratista de nanotector para la guardería, se lo aseguro. Ahí es donde realmente se merece la atención. Vamos, señora Dioniz, señor Kristupas.

La puerta lateral se abrió en una oficina tan palaciega como un pent-house del noveno piso. Woods of Tiburon Aspen forraran las paredes. Los auto globos en cristal Xircon iluminaron el foco de atención. Divanes tapizados en el divino Elisium damask rodearon una zona de estar. Un escritorio rematado con granito adornó una esquina. Holos de instalaciones lejanas abarrotaron la pared y se desaparecieron en un abrir y cerrar de ojos.

Todo lo que le falta es una mancha de grasa en el pavimento, pensó Maris, convencido de que Balozi mantenía sus aceras vigiladas.

—Por favor, siéntate. ¿Puedo traerle una bebida?

—Perfil, Lizabet Balozi —murmuró en su trake. Permaneció de pie mientras su perfil se apareció en su pantalla. Cuarenta, Ifem, criada en incubadora, se había graduado suma cum laude de la Universidad Stradins de Riga con una maestría en administración de empresas a los veinte años, la parte superior de su clase, un pródigo por cualquier medida. Ella había llevado ese talento al mercado de la instalación neurotrónica y había traído consigo la lealtad de sus hermanos de incubadora. A los treinta años, se había peleado por una cuota de mercado del veinte por ciento. Su ascenso meteórico había recibido quejas de competidores y escrutinio del gobierno, y sus desafíos legales habían comenzado a aumentar. Fue cuando regresó para el grado en jurisprudencia. El sector público no tenía una mente legal a la par de la suya, y había pasado sus siete años desde que la escuela de derecho superaba a legiones de litigantes.

—Guarda la lamida de culo para los inversionistas, cariño, —dijo Maris. —Pierdes nanoquinas como un tiburón pierde dientes. Estamos aquí para el inventario del centro de cirugía móvil. El verdadero, no el que tienes para que te veas bien.

Ella parpadeó con él. "Sin duda voy a revisar la orden de registro, señor Kristupas."

Le quitó un par de brazaletes de glasma del cinturón. "Tus muñecas o el inventario. ¿Con qué nos vamos?"

—¿Puedo ver la orden de registro?

—Cuenta de tres, Sra. Balozi. Inventario o encarcelamiento. Tres, dos...

Ilsa se puso delante de él. "Suficiente, Kristupas."

Parpadeó en ella, incredulidad tartamudeando a través de su cerebro.

—Enchufe el agujero y tenga un asiento.

El diván se sentía tan de felpa como parecía. ¿Cómo hizo eso? se preguntó, obstaculizado y aturdido.

—Apreciaría una disculpa, señor Kristupas.

Sus pensamientos salpicaron a través del pavimento de asombro. Miró a Ilsa, sin comprender.

—Dile a la señora Balozi que lo sientes, Maris.

Palabras cayeron de su boca como un cuerpo por una escalera. —Perdóneme, señora Balozi. Te traté con desdén y falta de respeto, y no debería haberlo hecho.

—Aquí está la orden, Sra. Balozi, —dijo Ilsa, extendiendo su palma com. —Usted debe estar recibiéndola por neuramail. Y quisiera reiterar la petición de mi colega de salir de aquí esta tarde con la información deseada. Gracias por su cooperación.

Balozi miró la palma com. "Gracias. He pedido el inventario del despacho. Tendré eso para ti momentáneamente. Usted verá que coincide con el inventario de nanoquinas en el centro de cirugía móvil. Trágico, el chico muriendo así."

—Afortunadamente, atraparon a las nanoquinas antes de que se propagaran, —dijo Ilsa, —o habrían tenido una repetición de la Plavinas Incubation. Un cuarto de millón de fetos acabados en momentos.

—Increíble, —respondió Lizabet Balozi.

—Increíble, —añadió Maris Peterson.

Ilsa tiró la cabeza hacia atrás y se rio, el magnamóvil se desviaba hacia el tráfico. Los huevos en un cinturón de transporte se movieron más rápido, todos se dirigían a casa. Sus dos plazas se retorcieron hacia el carril expreso, donde se movieron un poco más rápido. Todavía se enfrentaron a un viaje de tres horas de regreso al hotel.

Ilsa se quitó el disfraz. —Tiñe las ventanas, cariño.

Lo hizo, y ella también se quitó la ropa.

Más tarde, la besó en el hombro. "Eres increíble."

Ella gimió y se aferró más firmemente contra él. "Tú también."

—No, quiero decir allá atrás, con Balozi. ¿Cómo hiciste eso?

—No fue todo lo que hice. Sin tu amargo, ella no habría elegido mi dulce.

"Cualquiera elegiría tu dulzura, cariño." Enterraba su rostro en su cuello, descontando su compañía profundamente, seca de años de soledad. El magnamóvil tarareaba felizmente a lo largo de la calle, la noche ahora cerca, la noche iluminada mediados de la semana.

Buscó su ropa, su pantalla le alertó de múltiples mensajes del teniente Balodis. Balozi y Balodis, pensó, qué par.

Maris no esperaba que Lizabet Balozi los recibiera personalmente. Dicha micro gestión estaba por debajo de los directores ejecutivos de la mayoría de las empresas multi planetarias. Se había resignado a una carrera de acosadores de mandos medios, una raza de criatura cómoda con evasión y negación plausible, poco acostumbrada a la responsabilidad real. Aves de un aire tan raro como Balozi desconcertó su enfoque.

La instalación de Neurotrónica era bastante sencilla. Múltiples módulos de nanoquinas limitados por el programa se inyectaron a través de la carótida, deslizándose a través de la barrera hematoencefálica al enmascararse como moléculas solubles en lípidos, evitando astrocitos y migrando sus componentes unidos en su lugar a través del líquido extracelular. A partir de estos componentes, los nanoquinas construyeron un conjunto de interfaz neuranet cerca del tálamo y construyeron opticanales de anillos de hexo-silica para conectar nano ensamblajes detrás del ojo, debajo de la oreja y cerca de la unión traqueal. El conjunto detrás del ojo modulaba las señales del nervio óptico al tálamo, mientras que el conjunto justo debajo del oído modulaba las señales del nervio coclear, mezclando en la salida de la interfaz neuranet. El conjunto de unión traqueal, que modulaba la señal que iba a la tráquea, desvió el habla en forma de salida eléctrica a la neura red, dejando la tráquea con señales de trazas del cerebelo, la razón por la que algunas personas parecían estar hablando consigo mismos mientras estaban en sus comunicadores. El conjunto de neuraredes cerca del tálamo emitió señales a la pantalla y al audífono, mientras que las señales del comunicador salían al neuranet. Cualquier descifrado o cifrado, recuperación y almacenamiento de neura-mail, o conmutación de canal, era manejado por la interfaz neuranet.

Interconectado con la interfaz de pantalla, audífono, comunicador y neuranet estaba el dongle mastoideo, el nombre corto para el zócalo instalado en el hueso del proceso mastoideo justo por encima de los tejidos blandos del cuello justo detrás de la oreja. Sólo el borde exterior de la toma de mastoideo se instalaba manualmente. Las nanoquinas limitadas por el programa instalaban todos los demás componentes, incluyendo opticanales de hexo-sílice para el tálamo, el hipotálamo, la amígdala y el hipocampo. Junto con la salida del conjunto de interfaz neuranet, un conector mastoideo podría proporcionar a una persona un sonido envolvente sensual completo, tomando el control completo de todos los modos de entrada sensorial, incluidos los sentidos gustativos, táctiles y olfativos, facilitando una inmersión en un racimo completo y total.

La edad de instalación había crecido antes y antes, particularmente en los últimos veinte años. La investigación fue mixta sobre la cuestión de la instalación preadolescentes versus postadolescentes, varias facciones discutiendo sobre los beneficios y riesgos. Un grupo vocal que abogaba por la instalación preadolescentes argumentó que un control más fácil de la neurotrónica prestaba al individuo un mejor manejo hormonal a través de los turbulentos años de la pubertad. Sus oponentes argumentaron que la instalación anterior era un oleoducto abierto a la perdición. Con un número cada vez mayor de niños criados sin familia, el monitoreo parental del uso de neuranet se desvía rápidamente hacia la inexistencia.

A Maris no le importaba de una manera u otra, pero Los Neurobiotics Balozi sí, sus ganancias surgieron con cada reducción en la edad de instalación. Las publicidades saturaron la neuranet con grandiosas mentiras animando a los padres a despilfarrar a su descendencia. Balozi sacaba demografía de los servidores de las guarderías de Plavinas y saqueaba información Infantide Intersetellar. Sembraron investigaciones universitarias favorables con fondos de la fundación y estrangularon a los medios de comunicación que se atrevieron a distribuir resultados desfavorables.

—No juegan justo, ¿verdad?

Aún se robaban el uno al otro, Maris se dio cuenta de que Ilsa había estado revisando la información con él.

—Supongo que es mejor vestirme. Ella lo hizo, burlándose de él en el pequeño espacio.

Se resistió a la necesidad de quitárselos de nuevo.
—Diez minutos hasta la casa, —dijo.

—Estoy hambriento. ¿Qué hay de ti?

—Demasiado. Ella corrió sus ojos por su cuerpo.
—¿Podemos pedir como entrega?

Imágenes de sábanas humeantes y posturas vaporosas flotaban a través de su pantalla. —Sí, pero ¿qué pasa con la comida?

Ella se rio.

Su pantalla le indicó que Balodis le había enviado otro neuramail. Se liberó de Ilsa. Lo último que quería era dejar que Balodis entrara en su vida amorosa. Sus p Ifems eran de primera en la red de chismes de la oficina, todos haciendo apuestas sobre cuánto tiempo permanecería ignorante su secreto estando fuera.

—La teniente está ansiosa por hablar conmigo, la

cuarta vez que me está llamando por el neuro. ¿Qué tal si ordenas comida china?

—Estoy demasiado cansada para irla a recoger. ¿No podemos hacer que lo entreguen?

—Claro. Se dejó la pantalla y en silencio su micrófono, luego le comentó al teniente Balodis.

—Ya es hora de que vuelvas a mí, Peterson. ¿Qué coño has estado haciendo? Detrás de ella, una obra maestra holo realista del siglo pasado adornó la pared de su sala de estar.

—Infantide Interstellar, Desarrollo de Guarderías Plavinas, Balozi Neurobiotics. El informe será sobre su neuramail por la mañana, teniente. No hay nuevas pistas de ninguna sustancia.

—El chico de Desarrollo de Plavinas, ¿estabas ahí para eso? Sus ojos buscaron en su avatar, como si pudiera ver más allá de una pantalla en blanco.

—Lo vi hacerse líquido, teniente. Ni un espectáculo que olvidaría pronto. ¡Once! ¡El chico sólo tenía once años!

—Siento que haya tenido que ver eso. Pensé que los dos burócratas desaparecidos podrían ser tú y tu idiota. Encubierto se queja de que estás chupando todas las identidades. Envié al capitán Greshot a quitármelos de la espalda. Escucha, Maris, Valmiera Nanobotics acaba de anunciar la partida del Doctor Raihman, su investigador principal. Algo sobre la violación del protocolo. ¿Sabes algo de eso?

Su negación fue torpe. “Ni una cosa.”

—Averiguar de él. Valmiera no está hablando con nosotros. ¿Qué sigue, Maris?

El detective Peterson no sabía qué decirle. Excretó alguna respuesta bovina y cortó la conexión. El magnamóvil se tambaleó en una parada frente al hotel.

Él salió y se estiró. El polvoriento cielo nocturno estaba lleno de estrellas y esparcido de vetas de helopodos. El día del calor aumentó a fuego lento del asfalto de refrigeración. Los peatones con atuendos mixtos caminaban furtivamente a lo largo de la calle llena de gente. El lloriqueo de los carros magnas todavía sonaba sobre la servidumbre perenne, su doble asiento se fue para unirse a sus compañeros esclavos, libres por ahora, mientras Ilsa se une a él en la acera.

—Raihman fue despedido, ¿eh? —dijo.

Gruñó, dirigiéndose al vestíbulo, con el culo cansado de sentarse, su mente cansada de pensar.

Filip Dukur, Telsai Daily News, los emboscaron en el ascensor. "Detective Peterson, el Gobernador y la Legislatura están exigiendo respuestas. ¿Qué tienes que decirles?"

Maldijo que no llevaba su disfraz. "Un poco fuera de su casa de perros, ¿verdad, Dukur?"

—Promovido a reportero de investigación en el Crestonia Capitol Beat. ¿Qué hay de eso, Detective? ¿Alguna pista?

—Sólo una, —dijo Maris, señalando la puerta. —¿Ves ese pilar allí? Mejor ve a mear en él y reclama tu territorio. Dio un paso atrás y las puertas del ascensor se cerraron entre ellos.

—Bastante tenaz, ¿no? Ilsa olió. —Huele a comida china ya.

Casi carne de brócoli perfumaba el aire. Peterson frotó al nanotector aferrado a su dedo.

Una mujer se subió cuando bajaron. "Oh, eres tú", le dijo a Ilsa, y luego señaló por el pasillo. "Puse tu comida fuera de tu puerta."

Los aromas eran más fuertes a medida que se acercaban a la esquina. Le dieron la vuelta y vieron el paquete a nueve metros en el pasillo.

Un chillido agudo llenó el pasillo, el nanotector espinoso pulsando de rojo.

Maris empujó a Ilsa detrás de él, cayó de rodillas y sacó su pistola de blasma.

La falsa comida salpicaba las paredes del pasillo y comenzó a chisporrotear a medida que los nanoquinas lo consumían. Las alarmas de nanotectores añadieron sus gritos perforantes al chillido y espuma rociada de las boquillas, recubriendo el pasillo. La brumosa nieve blanca convirtió el pasillo del hotel en el país de las maravillas de invierno.

—Bueno, a joder todo, de todos modos. ¡Mi plato favorito! —dijo, soplando en la punta de la pistola de blasma brillante.

Las caras comenzaron a pincharse en el pasillo desde las habitaciones.

—Nanoquinas contenidas, amigos, —dijo. —Vuelvan a sus habitaciones.

—Será mejor que encontremos otro lugar donde quedarnos, —dijo Ilsa, mirando el pasillo invernal.

—Y algo más para comer.

CAPÍTULO DOCE

El bar de fideos permaneció abierto hasta tarde. Maris comía de pie, con los ojos recorriendo las calles.

Ahora era personal. Ahora vendrían tras él e Ilsa.

Los helopodos de luciérnagas disminuyeron lentamente, cada uno un asesino, Maris los rastreó a todos. Los peatones crecieron menos, cada uno un asesino, Maris los rastreó a todos con la mirada reveladora hacia ellos.

De alguna manera, los asesinos habían interceptado la orden de Ilsa, comprometido la entrega, introducido las nanoquinas y puesto fuera de la puerta de su habitación de hotel. Todo en quince minutos.

Habían estado listos. Lo habían estado planeando. ¿por qué? Ni siquiera estaba oficialmente en el caso, no lo había estado desde que vino a Crestonia. Lo querían fuera del caso. Debo estar cerca, pensó. En algún lugar, me puse nervioso. Uno de los últimos tres lugares a los que había ido, estaba seguro. ¿Desarrollo de Plavinas? se preguntó. ¿Balozi Neurobiotics? Infantide Interstellar parecía un lugar poco probable para haber ofendido a alguien. Además, había estado solo, Ilsa en el hotel, recuperándose del atentado de club nocturno. Plavinas o Balozi. ¿Cuál?

—Estás muy callado —dijo Ilsa. Su cuenco de fideos delante de ella estaba vacío.

Había devorado su cuenco después de comer todos sus fideos. "¿No te gusta el tazón?"

Ella negó con la cabeza. "Calorías extra." Ella lo empujó hacia él.

También devoró eso. No pudo haber sido Plavinas, porque nadie los vio irse. En Balozi, se había meado en la cara de la Directora Ejecutiva. Podría haber puesto fácilmente un rastreador en su magnamóvil, su sistema de encriptación tenía múltiples llaves conocidas de la puerta trasera. Lo había usado varias veces para rastrear a un sospechoso, con o sin una orden. Incluso pudo haber robado su destino. En el camino, Ilsa y él habían sido robados de sus identificaciones falsas. ¿Cómo había interceptado Lizabet Balozi su orden? El momento no era el correcto. ¿Cómo lo había encontrado Dukur en el Holtin? ¿Fue ahí donde su cubierta fue volada?

—¿Vas a hacer que me quede abierto toda la noche? —dijo el propietario.

—¿Me vas a masturbar hasta que salga el sol?

Maris miró a Ilsa y pasó su mirada por la calle. Mientras se desmoronaban a lo largo del bulevar en mal estado, se enganchó con la computadora del Precinto de Telsai. El sistema neuranet tenía sus propios defectos de cifrado, pero la demanda pública de privacidad había generado una proliferación de productos de seguridad.

—Nos voy a conseguir una nueva identidad, —dijo. —Hasta entonces, no es seguro para nosotros usar un magnamóvil. Y en lugar de un hotel, ¿por qué no alquilamos un apartamento?

—¿Estás seguro de que vamos a estar aquí tanto tiempo?

—No estoy seguro de nada, cariño.

—Alguien ha intentado matarnos dos veces.

Esa mirada estaba de vuelta. Dos esposas habían tenido esa misma apariencia, y a diferencia de Ilsa, no habían estado en el campo con él. Maris había visto la misma mirada en los ojos de los colegas, una mirada que presagiaba ya sea discapacidad o un accidente en el trabajo. Primero vino la preocupación, el cuestionamiento silencioso, el miedo inducido por el trauma. Luego la fatiga, las ojeras, los bostezos, las noches de insomnio. Y muy pronto, esa persona encontraba una salida, ya sea un pequeño gatillo que desencadenó una explosión, el inicio repentino de un problema médico, a veces gastro, otras veces cardio, o un accidente, un ligero lapso de atención, una caída, un paso en la línea de fuego, un paso de la acera en el tráfico entrante.

Maris, había aprendido a vivir con ello, el estrés constante, las terribles horas, las largas vigilias nocturnas, la pérdida de compañeros en el campo, la pérdida de esposas del hogar. Dos de estos últimos no habían sido capaces de hacer frente a la realidad del peligro diario. Poco antes de irse, cada uno comenzó a verse de la misma manera que aquellos colegas que habían comenzado a preparar sus salidas.

—Tienes esa mirada.

—¿Eh?

Se detuvo y se volteó hacia ella, acertando. "Esto no es para ti, puedo decir. Voy a buscar protección de testigos, conseguirte una nueva vida. Ellos no pueden comprar tu contrato, pero al menos tendrás tener un lugar seguro para vivir."

Ella negó con la cabeza contra su hombro. "No quiero una nueva vida. Quiero una vida contigo." Ella estaba caliente contra él, su espíritu envuelto alrededor de su corazón.

Sus dos últimas esposas habían querido lo mismo, la segunda incluso exigiendo que renunciara a su carrera de quince años en la fuerza. Ella no lo había entendido, no había tenido la capacidad de entender. Dudó que Ilsa tampoco. Una vida con él era un camino difícil.

Maris puso la cara de Ilsa a la suya, y él la besó profundamente. "Quiero una vida contigo. Son momentos como este los que hacen una vida así, pero hay otros momentos, como ese en el Holtin. También son parte de eso. No puedes tener uno sin el otro. Todos los días vas a esperar con miedo, sin saber cuándo voy a volver a casa."

—O si quieres. Lo sé, Mare, y sé que volverás a casa unos días sin salir de la oficina. Yo también he visto eso.

Él aceptó con un gesto. "Semanas, a veces."

—Pero cuando estás aquí, conmigo, en este momento, todo vale la pena. Ella tiró su cuerpo a la suya con su abrigo arrugado, su cara se volvió hacia la suya.

Se perdió en sus labios, y su mente sucumbió a su abrazo.

—¡Consigan un hotel! —gritó un transeúnte.

Maris pensó que era una sugerencia razonable, sin importar su entrega irrazonable.

El amanecer era brillante, su noche había sido más brillante. El resplandor de la oscuridad se lavó en la luz. El calor del frío lo calentó a través del frío.

Eligió un lugar sin pistas, convenció a alguien que estaba mirando, y luego llamó al Doctor Juris Raihman.

—No puedo decir nada, Peterson. No-divulgación. Raihman parecía derrotado, las mejillas se flaqueaban de las cavidades oscurecidas, miraba atormentada bajo las cejas arrugadas, la mandíbula holgada bajo los labios fruncidos.

—No me importa un carajo lo que te hicieron firmar, Raihman. Mil niños en incubadoras. Un cuarto de millón de embriones. Medio millón de óvulos. ¿Qué tan alto tiene que llegar el número, doctor?

Los ojos se apartaron. El doctor Raihman parecía estar sentado en un restaurante, basado en el fondo que Maris podía ver, una brillante luz matutina salpicando la pared, algún restaurante del barrio donde la camarera conocía los nombres de los clientes, lo que hacían, cómo estaban. Maris había conocido a su primera esposa de esa manera.

Raihman suspiró y negó con la cabeza. "Sé que es sombrío, pero si hablo, nunca volveré a trabajar, en ningún lugar".

—Te llevaré a un cuarto trasero, trabajarás. Entonces puedes decir que fuiste coaccionado.

—Con las cicatrices para probarlo, ¿verdad?

—Medida extra de veracidad, un punto de conversación en tu currículum, un hematoma del que puedes presumir.

El Doctor roncó y negó con la cabeza. "¿Jodes a todos de esta manera? Te conseguí a ese nanotector y me despidieron por ello. Ahora me amenazas con un cuarto trasero bajo luces brillantes."

—Amenazar? No te amenacé, doctor. Me ofrecí. Es una opción. Usted renuncia a la información y a cualquier responsabilidad por divulgarla. ¿Qué tiene de especial ese spider-tector, de todos modos?

Raihman miró primero a la izquierda, y luego a la derecha, como para comprobar si había gente vigilándolo. "No puedo decirlo."

Bingo, pensó Maris. "Bueno, piénsalo." Mientras hablaba, compuso un neuramail y lo cifró. —Incluso consideraría un trabajo de fuerza, dejaría los instrumentos en la autoclave. ¿Y quién necesita luces brillantes? Se trata de elegir, doctor. No hay presión de mi parte. ¿Qué dices?

—Lo siento, Detective, no voy a hablar. Estás siendo muy amable con esto. No sabía que tenías nada bueno en ti. Pero no puedo. Entiendes, ¿no?

Envió el neuramail. "Sí, lo entiendo. Sé que ayudaría si pudiera, doctor. Avísame si cambias de opinión. Gracias por tomar mi comunicación."

—Buenos días, Detective. El neurocanal se cerró.

Maris sacó a la criatura. Sus patas espinosas se envolvían alrededor de su dedo. El cuerpo delgado, similar a un palo brillaba, como si estuviera en movimiento microscópico. Antenas brotaron como diente de León de un extremo al otro, zarcillos finos muestreo del medio ambiente. ¿Auditivo, feromonas, óptico? se preguntó, apostando a los tres. Hecho de nanoquinas, era alimentado por un reactor de micro fusión, un pequeño resplandor a mitad de su cuerpo de palo. Los nanotubos de carbono le dieron estructura. Un compuesto de nanoquinas para detectar otras nanoquinas.

Se levantó y se estiró, esnifó el hedor del callejón de su nariz y se dirigió a la calle.

La fiebre loca, la inmersión diaria de ciudadanos respetuosos de la ley para ponerse a trabajar, estaba en pleno progreso.

Maris envidiaba y daba pena, deseando que la suya fuera una existencia tan alegre y sin sentido y agradecido que no fuera un esclavo de nada más que descuidado, las modas de normalidad que sostienen una repulsión deseable para él.

Ilsa se reunió con él en un restaurante de desayuno, luciendo fresca como un amanecer. "¿Qué hay hoy?"

—Algunas pistas que quiero seguir por mi cuenta, si no te importa.

—Sólo trae tu trasero intacto.

Justo de su propio léxico. Sonrió y tomó su mano a través de la mesa. "Eso es lo que me gusta de ti, dándome me con el trueno que me robaste."

El Omale que les servía miró a sus pies todo el tiempo. Maris dejó caer su tenedor experimentalmente, y el camarero casi se mojó y casi deja caer su comida.

Los huevos sintéticos y el tocino falso eran deliciosos, pero las papas blandas eran terribles.

—No se puede sintetizar una patata que vale frijoles, —dijo, moviendo la cabeza tristemente sobre la fritura

—Eso es lo que son, ¿verdad? Geno soya recombinante. Frijoles.

—No es papa. Empujó su plato a un lado. —¿Vas a hacer un seguimiento hoy con Infantide Interstellar?

Ilsa asintió. “Averigua quién es su nuevo proveedor. Mare, ¿y si Plavinas Incubation fue sólo un pequeño sabotaje corporativo?”

—¿Un cuarto de millón de embriones, sólo un poco de sabotaje?

—Tal vez no “pequeño”. No, quiero decir, ¿quién es su competidor más cercano?

—¿Por qué no investigas eso también? Voy a la subasta, a ver qué se vende. Y tengo que llevar un suborbital a Telsai.

Ella frunció el ceño. —No volverás hasta tarde.

—Alrededor de las nueve, reconoció él. —Muy tarde.

Ilsa apretó la mano, frunciendo el ceño. Sabía que había llegado a odiar sus horas y esperaba que se adaptara. Las otras dos no lo habían hecho.

Fuera del restaurante, el glasma de gran altura y el acero que se ciernen sobre ellos, la besó brevemente. “Nos vemos esta noche.”

Su mirada de nostalgia se quedó en su mente mucho después de que ella se había ido.

En la otra dirección, vio al camarero Omale temblando en la estrecha abrazadera entre los edificios.

Señalándole para que lo siga.

La luz del sol que se ampolla en el frente del edificio de plasconcreto, el callejón estaba envuelto en la oscuridad. Las cucarachas prosperan en la oscuridad, pensó.

Siguió, teniendo que girar hacia los lados. Bloque desnudo amurallado por ambos lados. Los objetos crujieron bajo los pies, y chillando acompañan sonidos de dispersión. El almizcle de secretos ocultos ondeó desde alrededor de sus pies. Podría haber caído en la grieta del olvido.

El Omale pasó alrededor de un conjunto de tuberías.

Sus ojos se ajustaban, Maris miró hacia abajo en sus pantalones perfectamente arrugados y suspiró. Las cosas que hago por mi trabajo, pensó con disgusto, y se adelantó.

El Omale desapareció en una alcoba.

Lo miró fijamente. ¿Una emboscada o un santuario? se preguntó.

El recinto era de tres metros de profundidad, y un metro y medio de ancho. Un palé cubierto con restos de alfombras hizo un piso. La cama era un colchón de cuna manchado, de sólo sesenta centímetros de ancho, algo de una celda de la cárcel. Estantes estrechos por encima de ella contenían las necesidades básicas de una cocina.

Maris no podía esperar a ver el baño, hasta que se dio cuenta de que el cubo cubierto en la esquina servía exactamente ese propósito.

—Más lejos, de esta manera, por lo que no pueden verte. Te ofrecería un asiento, pero no tengo uno.

Ni espacio para poner uno. Miró al Omale.

El hombre no lo miraba, su mirada en las escasas adaptaciones. Llevaba el pelo corto, un ribete de mano autoadministrado. Su uniforme del restaurante estaba manchado de comida y sudor. Sus zapatos se quejaban de que eran demasiado pequeños para los pies, que se salían por los lados. Los pantalones se hundían holgadamente, el material fino que hace tiempo que abandonó sus pliegues.

—Tú eres él, —dijo el Omale. —Me dijeron que estabas aquí. Querían que añadiera algo a tu comida.

—¿Quién? Ya podía adivinar qué. Habían condimentado la comida china.

—No lo sé. Me enviaron por correo cuando entraste. Uno de esos anónimos. Te lo enviaré. Por favor, me atraparán porque me negué.

—¿Cómo sabes eso?

—No soy obediente.

Con su contrato, Maris lo sabía. Ya sea varios meses atrasados en sus pagos, o huyendo del titular del contrato. —Una vez más, ¿quiénes son "ellos"?

—¡Ya sabes, ellos! No lo sé, pero lo sé. La única razón por la que no me han encontrado es que estoy fuera de la red. Ya me están buscando, al frente. Los verás. Por favor, ayúdame. Sólo hay una forma de entrar aquí. Tan pronto como me vuelva a conectar, vendrán aquí a por mí.

Los Omale apestaban de miedo. Apestaba desde el momento en que se acercó a la mesa dentro de la cena del desayuno. Creía que moriría.

Maris sacó algo del bolsillo. "Aquí, metete esto." Le entregó al Omale un dongle mastoideo con una identificación encubierta, y luego fue a su comunicador. La computadora del recinto de Telsai tomó un momento desde medio planeta de distancia. "Se necesita custodia protectora, Betty's Breakfast Diner." Dio la dirección y la identidad encubierta que acababa de entregar al Omale.

—Vehículo en camino, Detective. Ocho minutos para llegar.

—¿Sabes quién soy? ¿qué estoy haciendo? le preguntó el Omale.

El hombre negó con la cabeza. —No, no sé nada. No me dijeron. Una mujer trajo un paquete, lo dejó en el mostrador. "Pon el contenido del tubo en su comida", decía el mensaje.

Sirenas distantes lamentaron su enfoque. La actividad en la entrada del callejón aumentó.

Pistola de plasma en su hombro, Maris deslizó la seguridad con ese toque doble resbaladizo, el sonido distinto y satisfactorio. Miró hacia la calle y vio una sombra retraerse.

—¿Dónde está el paquete?

—En la estación de espera. Abrí el paquete. Había un tubo dentro. El hombre comenzó a llorar suavemente. "Casi lo pongo. Lo siento." El Omale temblaba incontrolablemente, y Maris se dio cuenta de que el cubo no era la única fuente del olor a orina fresca. Vio una mancha amarrilla en la parte delantera de los pantalones del hombre.

Armó la pistola, y su punta comenzó a brillar. "Espera, chico. Ya casi están aquí". Maris se inclinó en el callejón de nuevo, la punta blanca caliente en ese hombro. Nada como un pequeño resplandor de advertencia.

Las sirenas eran fuertes ahora, y las estroboscópicas reflejaban en los edificios lejanos. Una luz roja parpadeante se detuvo frente al callejón estrecho, y se abrió una escotilla lateral.

—Vamos, —dijo, y arrastró al asustado Omale de la alcoba.

El magnamóvil se había tirado a la derecha en la acera, uno blanco y negro con las ventanas oscurecidas. Otras unidades bloquearon la calle.

Detuvo el Omale unos metros cerca. "Agáchate." Empujó al Omale a agacharse. Ojos acuartelando la calle, Maris empujó al hombre hacia el magnamóvil y cerró la puerta. "Sujeto asegurado", dijo Maris.

El blanco y negro fue en la calle, las unidades auxiliares que conducían y seguían. Sus sirenas a lo lejos, una media octava más bajas.

Asintió al comandante de campo que se acercaba. “¿Usted tiene algún e-equipo con usted?”

—Kalnin —gritó sobre el hombro y sacudió el pulgar a Maris. —Ayuda al detective. ¿Que tenemos, de todos modos?

Se identificó. —El sujeto dice que fue amenazado si no me envenenaba. Maris miró a la tripulación electrónica. “El tubo está dentro, en la estación de espera.”

—Entendido. El e-equipo se puso guantes, sacó una bolsa electrónica de un bolsillo, y entró a recoger la evidencia.

—Pensé que la Coalición se hizo cargo de esa investigación, Detective, —dijo el comandante de campo.

—A joder con la Coalición, —murmuró Maris.

CAPÍTULO TRECE

PETERSON LLEGÓ TARDE A LA SUBASTA. Los informes le hicieron eso. Fue algo mutuo. Llegó tarde con los informes, y lo hicieron tarde de por vida. Decidió ahorrar tiempo en la subasta mientras se dirigía a Telsai a bordo del suborbital.

El puerto espacial era un aglomeramiento de cuerpos tan perfumados que podría haber ido solo a la planta de aroma. Soportó largas filas de registro, sin querer ser descubierto. Los paneles Glasma por encima, la charla de los canceladores de ondas como el sonido dominante, silenciando el susurro de traje y holgura. Rostros impacientes de pasajeros poblaron la zona de embarque, la sala de embarque aburrida, la mayoría metiéndose a sí mismos en otro lugar.

Se presentó a bordo, rebajó ganado y se apretó en

un asiento cerca de la parte trasera, justo enfrente de la letrina. Pensó, el presupuesto de Encubierto era lo que era. El asiento era apretado incluso para su pequeño marco. El idiota obeso que se sentó a su lado debería haber pagado el doble, ya que también tomó la mitad del asiento de Maris. Al detective no le importaba saber que saldría en un momento.

Entró en la subasta de Ohume como Maris Lacis, agente de compras certificado de Ohume, registrado en la Junta de Intercambio de Contratos, Oficina de Asuntos Orgánicos, División de Licencias de Diferencia Comunitaria. Sólo los agentes de compras con licencia podían entrar.

En algunos mercados de esclavos, los compradores se reunían para buscar mercancías. No es así en la subasta de Ohume. Muy poca subasta necesaria tiempo corporal, prácticamente todo hecho conectado a la neuranet. A través de sus agentes de compras, las corporaciones multi planetarias lanzaron ofertas del tamaño de los productos nacionales brutos en incubadoras, Ohumes a la venta en lotes mínimos de un kilo cada uno. Todos los multi planetarios principales compraban Ohumes a granel. Mano de obra barata, de un paso a un todo.

Para la mayoría de los Ohumes, la venta de sus contratos en subasta significaba ser almacenado en algún planeta de la fábrica con mil millones de otros, montaje de trabajo de baja categoría, rotación entre cinco posiciones más o menos, cambiar de ubicación cada semana o quincena para desalentar lealtades, alianzas o afiliaciones, cobrando el doble de alquiler de mercado por la mitad del espacio en chozas con fugas, infestadas de alimañas, alimentos, agua, ropa y servicios deducidos de los salarios, la comida y el agua cargadas con supresores del sistema límbico, tiempo libre severamente restringido a minutos por día, sexo prohibido.

Además, la corporación estaba segura de jugar con los contratos, inflando los precios, acortando horas, extrayendo impuestos, reduciendo salarios, degradando posiciones. Cualquier Ohume podría exigir una contabilidad, pero la supervisión era laxa, los reguladores a menudo de otros planetas y fácilmente persuadidos para pasar por alto todos los abusos, excepto los más atroces, frecuentemente sobornados, drogados, sexados o atado a la indiferencia. El recurso era risible, las quejas ignoradas, Ohumes abusados a diario. El castigo físico por trabajo flojo o descuidado era rutinario, azote común, pago acoplado para compensar el aturdido. Los levantamientos eran frecuentes en mundos donde tales abusos eran endémicos. Pocos gobiernos desafiaron la explotación corporativa, los presupuestos planetarios una miseria de los beneficios corporativos, la Coalición demasiado influenciada por el capital para hacer cumplir la ley existente.

En los mundos de las fábricas, ante tales obstáculos, la "jubilación" del contrato Ohume corría entre el diez y el veinte por ciento, el resto moriría antes de que sus contratos maduraran. Los jubilados eran liberados para seguir su propio camino, sin indemnización por despido, sin pasaje en otro lugar, sin ropa en sus espaldas, sin techos sobre sus cabezas. Dado que muchos planetas eran propiedad de la empresa, la mayoría de los jubilados no tenían más remedio que regresar como empleados, a veces como supervisores de hermanos todavía bajo contratos, a veces obligados a infligir crueldades similares a las infligidas a ellos. Los azotes eran frecuentemente dados, su salario dependía de cuántos Ohumes azotaban. Muy pocos jubilados abandonaban el mundo de la fábrica.

Pero no todas las identificaciones Ohume eran compradas a granel para el trabajo de fábrica. Las franquicias interestelares compraban trabajadores de línea por miles de millones y los distribuían a sus franquiciados. Restaurantes, boutiques de ropa, hoteles, clubes de fitness, clubes nocturnos, clubes deportivos, cualquier tipo de negocio fácilmente replicado de planeta en planeta que requiera una reserva confiable de mano de obra podría aprovechar la subasta de Ohume. Ohumes a las que estas franquicias le iban mejor que sus incubadoras del mundo de la fábrica, siendo los franquiciados típicamente más pequeños, sujetos a un mayor grado de supervisión regulatoria, ejerciendo menos control sobre los aspectos minúsculos de la vida de sus contratos y menos propensos a ser explotados. Una escritura de Ohume comprada a nivel de franquicia corporativa se convirtió en propiedad de facto del franquiciado, el Omale o Ofem frecuentemente encontrando su propia comida, refugio y ropa. El castigo físico era menos común para la franquicia Ohumes, ya que el franquiciado generalmente operaba en un entorno urbano, en mucho menos aislamiento. El acceso del gobierno a los lugares de trabajo era mayor, y los intentos de su nacimiento de los reguladores salieron mal con más frecuencia, injertando más fácil de atrapar y enjuiciar. Los colegas de Maris en extorsión en el precinto de Telsai a menudo se jactaban de sus collares más coloridos.

Los mercados secundarios de Ohume vendían contratos a empresas más pequeñas, ninguna de ellas capaz de competir con corporaciones multi planetarias. La hospitalidad consolidaba contratos, por ejemplo, comercializó contratos a hoteles locales, resorts, restaurantes, bares y spas. Entre estos mercados secundarios se encontraban las subastas especializadas de Ohume. Los contratos Ohume que se vendían en estas subastas tenían líneas celulares diseñadas para cumplir con ciertas especificaciones. La minería, por ejemplo, dependía en gran medida de un puñado de genotipos que enfatizaban las masas de músculo, endoesqueletos cortos y densos, alta resistencia y baja inteligencia. Ohumes de características especialmente deseables salieron a la venta en el mercado de Idol, en su mayoría Ofems de belleza deslumbrante, la mayoría de los compradores masculinos. Unos cuantos Omale brillantes fueron puntuados a través de la etapa neuranet, puntas pesadas hasta las rodillas, invocando la envidia en los compradores, pero provocando pocas ofertas. Entre los tipos especializados de Ohume vendidos en el mercado de Idol estaban los modelos de receptáculo de espermatozoides y de recuperación de óvulos.

Maris vio la actividad en la subasta de Ohume, miles de millones de Ohumes vendidos cada hora, las sumas asombrosas. Cuando se desglosa, el costo resultó ser cacahuetes por trabajador.

Un canal de neuracom se abrió mientras observaba, y el avatar de un joven de cara agradable apareció en su pantalla. "Agente Lacis, bienvenido al mercado De Crestonia Ohume Neura. Soy Shannon, tu asistente de mercado. ¿En qué puedo ayudarle hoy?"

Un ciber vidente, Maris decidió. El rostro y la voz, con características tanto masculinas como femeninas. Un cliente podía decidir que el ciber vidente era hombre o mujer, como se prefiere. Tales avatares rara vez tenían la sofisticación para dominar los matices del lenguaje y la expresión, o para proporcionar más que un mínimo de ayuda.

—Sal de mi cabeza. No se tuvo ni cerca de la satisfacción de insultar a un ciber vidente.

—Asistencia negada. Mi nombre es Shannon, y usted puede llamarme en cualquier momento.

—¿Vas a masturbarme a las tres de la mañana?

—Tengo un residente disponible para proporcionar satisfacción en cualquier momento del día, Agente Lacis.

Lástima que no entendieran el sarcasmo. "No, gracias."

El canal de comunicación se cerró, y una campana sonó en su trake. Llegada a Telsai en diez minutos.

Maris suspiró, sabiendo que tendría que volver.

Juris Raihman, doctor e investigador principal de Valmiera Nanobotics, miró alrededor del restaurante, como si le preocupara que lo vieran con Maris.

A su llegada a Telsai, el detective Peterson había recibido la identidad de Maris Amantas, directora de investigación de Gulbene Neurogenetics, la competidora-némesis de Valmiera. De camino al restaurante, los chillidos del magnamóvil le habían metido astillas debajo de las uñas. Las multitudes de aceras se habían precipitado hacia él, falanges de soldados urbanos recreando la carga de la brigada de la peste. Las torres de plasmetal y glasma brillaban con reproche de las masas de la humanidad que habían esclavizado para servirles.

Maris se detuvo en la entrada del restaurante. Las nubes de bolas de algodón acolchaban un cielo sensual. Un sol de acuarela ahora salpicaba la pared del restaurante, regateando desde el suelo.

—¿Cómo sé que no estamos siendo vigilados? Raihman preguntó cuando Peterson se deslizó en la cabina frente a él.

Maris se encogió de hombros. —No hay garantías, pero tengo dos ropas de civil afuera para verte en casa a salvo.

—Una inversión. Debo ser importante.

—Un impedimento temporal. Maris estaba intrigada de que el teniente Balodis pareciera pensar que el despido de Raihman era digno de mención. "¿Por qué te dejaron ir?"

—Ese bicho en tu dedo.

Parecía una mantis religiosa con múltiples cabezas, su cuerpo de palo y las piernas espinosas brotando media docena de extosensores, arrastrándose por su dedo extendido para posarse allí, siempre vigilante.

La camarera, una Ofem con una sonrisa brillante, llegó y tomó sus órdenes, demasiado feliz de haber estado en el trabajo por mucho tiempo. Un establecimiento local como este probablemente había adquirido su contrato del mercado secundario. Regresó en unos minutos más tarde con sus bebidas.

Sus cafés eran negros. "¿Podría tomar un poco de crema para mi café?" Raihman le preguntó a la camarera.

—Pseudo o la de verdad? —preguntó. —La buena es extra.

—Real, por favor.

—Voy a poner un poco para ti, querido, —dijo, recogiendo su taza.

—¿No se puede llevar a la mesa?

—No puedo hacerlo, cariño. Demasiado caro. Volvió en un momento con café cremoso.

—Es ilegal, ya sabes, —dijo Raihman en el momento en que se había ido.

—¿Eh? Maris iba a necesitar un collarín.

—¿Alguna vez te has preguntado por qué los brotes de nanoquinas no son más comunes?

No era un experto en enfermedades, no. Estrechó la cabeza y extendió las manos. "No soy epidemiólogo."

—Organicidad. Los conjuntos de nanoquinas se alimentan orgánicamente. Descomposición del trifosfato de adenosina. No pueden alimentarse con material inerte o sintético. En tu dedo, tienes un macro ensamblaje de nanoquinas alimentado por un inductor de micro fusión, no ATP. Uno de los pocos en existencia

—¿Por qué es ilegal?

Raihman levantó su taza, pero no bebió, acunando la copa en ambas manos. "¿Por qué crees?"

Una vez que una nanoquina fue liberada de su dependencia de la materia carbonácea para alimentarse y replicarse... "Ellos tomarán el control".

—Planetas enteros aniquilados, —dijo Juris. —Deshabitados e inhabitables. Y no hay manera de ponerlos en cuarentena.

Sólo saca el planeta de los límites, Peterson quería decir. La locura de la estupidez humana estaba segura de violar cualquier cuarentena. —Entonces, ¿por qué esta criatura no nos elimina y se apodera de Tartus IX? le hizo un gesto al insecto

—Este no está programado para replicarse a sí mismo. El Doctor tomó un sorbo profundo de su café cremoso y bajó la taza.

El extraño énfasis del Doctor alertó a Maris. "Este."

La cara de Raihman se congeló. Entonces su parte superior del cuerpo se desplomó hacia adelante, plantando su cara en su café. Taza y platillo retumbado y café marrón salpicado.

El nanotector en su dedo chilló, parpadeando en rojo, y Maris saltó de la cabina y retrocedió contra el mostrador.

La cabeza de Raihman se desintegró en una masa burbujeante de jalea retornada. Los nanotectores superiores dieron la alarma y la espuma blanca brotó de las boquillas de nanosupresores en el techo. Los clientes asustados salieron el restaurante.

Maris retrocedió en la entrada principal, mirando la carne que se derrite al suelo mientras las nanoquinas comieron a través del cuerpo del Doctor Raihman. El supresor sólo impidió que las nanoquinas se extendieran a otros. La espuma no pudo detener su progreso a través de la materia carbonácea ya infectada.

Sacudiendo espuma blanca de su abrigo y cepillando de su cabello, Maris silenció el insecto en su dedo y reconoció a dos vestidos de civil. En la distancia, los vehículos de emergencia aullaron sus melodías tristes en armonía fuera del tiempo.

—¿Qué pasó, señor? —preguntó una ropa de civil.

—Bebió su café, su café cremoso. Localizó a la camarera Ofem y la señaló con una mirada. —Detengan a la camarera para interrogarla.

Los dos vestidos de civil convergieron en ella. Sus ojos se ensancharon y ella se encogió de entre ellos, pero lograron apurarla tranquilamente.

Los vehículos de emergencia se metieron en la calle, pintando los edificios de azul y rojo, sus aullidos terminan en una caída discordante. Los TEM (Técnicos en Emergencias Médicas) y sustancias peligrosas se apiñaron alrededor de la puerta.

Llegaron los forenses, y con ellos la forense, Urzula Ezergailis. Ella salió de su magnamóvil y se dirigió hacia él. "¿Encubierto no pudo conseguir un mejor disfraz que eso?"

—Les rogué por una identificación como la suya, pero me dijeron que las garras afiladas no son legales.

—Jódete tú también, Maris. ¿Qué tienes?

Le dijo lo que encontraría en el restaurante. "Examina la leche que puso en su café, Urzy."

—Muy bien, lo haré, Peterson, pero no me llames así nunca más.

—Rima con cursi. Ve acurrucarte en el lodo mientras aún está caliente. Hizo un gesto a la puerta llena de la tripulación y se volvió de la escena.

—Oye, Maris, llamó Urzula.

Miró por encima de su hombro.

—Cuídate la espalda.

—Gracias, chica.

El detective Peterson se dirigió a la comisaría, el interrogatorio de la camarera probablemente tomará la mitad de la noche. No volvería a ver a Ilsa hasta el mediodía. Le abrió un neurocanal.

—Maldición, te amo. Ella estaba en la cocina de su apartamento en Crestonia, con nada más, deliciosa.

Una oleada caliente de deseo inundó a través de él, exacerbado por el retraso. "Igualmente, chica." La ausencia hizo que su punta creciera más larga.

Después de que él le contó las malas noticias, ella se puso un vestido, luciendo decepcionada.

—Entendería si te metías en una inmersión y pensaras en mí, —dijo.

—Pobre sustituto. Sólo trae tu trasero aquí para que pueda masturbarte tontamente.

—Sí, mi amor. Se desconectó mientras el magnamóvil se detuvo frente a la comisaría. Salió, tan pesado que apenas podía caminar.

Filip Dukur del Crestonia Capitol Beat sacó un micrófono de la nada, echando un vistazo a los pantalones de Peterson.

—Adelante, pregunte. ¿Es una pistola de blasma en mi bolsillo? ¿O estoy feliz de verte? Suelta el jabón para descubrir al estilo perrito. ¿Qué haces aquí, chico?

—La mejor oferta que he tenido en los últimos dos minutos, Detective. ¿Ha sido eliminado el doctor Juris Raihman como sospechoso? Dukur metió el micrófono en la epiglotis de Peterson.

Maris lo alejó. —Eso es lo que me gusta de ti, chico, haciendo la pregunta oscura, buscando la respuesta ajena. Se dirigió por las escaleras hacia la puerta de la comisaría, dejando al niño rascándose la cabeza.

Se congeló, con la mano flotando sobre el mango.

Por qué vaciló, no pudo haber dicho, pero lo sabía.

Las apariciones no existían. El hecho clínico frío cimentó su pensamiento. La claridad del carámbano colgaba como péndulo en los aleros de su mente, conclusiones listas para caer, agarrando hechos rápido al suelo mientras derrite el paisaje de un crimen. Y, sin embargo, se detuvo, una visión que lo atormentaba, su libertad puesta en el hielo.

No conseguirás un juicio, no conseguirás un abogado, no recibirás una sentencia. Sólo vete.

Que se joda la Coalición y su muñeco de nieve, el coronel Teodor Astrauckas.

Y abrió la puerta.

"Sala de interrogatorios dos, —dijo la teniente Balodis, su voz fría como reina del hielo.

"Dos", repitió, dándole un solo guiño, encendiendo un solo paso. Ella lo sabía, él lo sabía.

Las peleas y las cicatrices en las paredes del pasillo llorando se jactaban de que los detenidos que luchaban se metieron en tanques. Azulejos aburridos lucharon para reflejar su zancada a través de años de acumulación de cera. Luces pálidas lucharon para disipar pensamientos oscuros y atenuar los futuros. Los paisajes urbanos blandos en marcos polvorientos no pudieron iluminar la pintura descamada. El glasma esmerilado no podía ocultar el refuerzo de los gusanos, una puerta protagonizada por grietas ¿, un sospechoso de hace mucho tiempo arrojándose a un oficial con desesperación sobrehumana.

Un par de magulladuras voluminosas, de sol suave y sombreado, aparecieron por delante en el otro extremo.

Un par de miradas lo apuñalaron por la espalda,

los lentes polarizados incapaces de proteger los ojos afilados.

La sala de interrogatorios dos tenía una puerta abierta. Dentro estaba Astrauckas, señalando a una silla.

Bienvenido a tu futuro, podría haber dicho.

Las cuatro magulladuras convergieron, dos delante, dos detrás.

"Vamos, Detective", dijo el coronel Astrauckas.

CAPÍTULO CATORCE

Omale Ivars Digris y sus hermanos de incubadora Evars, Ovars y Uvars pasaron por una alcantarilla a través de las estepas rodantes bajo el mando de su líder, Avars. Dos de sus hermanos eran Ofem, pero de tal volumen nadie sabía cuál. Tenía veinte centímetros de altura y diez centímetros, pero parecía de tres metros de altura, tan grueso a través de una excavadora. Sus manos rivalizaban con los jamones, sus brazos cerdos enteros, sus pies tan grandes como los elefantes, sus patas pilares de puente, sus huesos y músculos diseñados para la densidad, la fuerza y la resiliencia. Otro equipo de la guardería de graneles y pesos equivalentes instaló un oleoducto a una milla detrás de ellos en la alcantarilla que estaban cavando, ambas tripulaciones clonadas del mismo genoma que se mantenían en criogénico de cero kelvin.

La correlación inversa del cerebro, Ivars, metió una pala tan ancha como su pecho en lo profundo del suelo cercano a la tundra apalancó un trozo de tierra la mitad de su peso, y la arrojó a un lado. El sudor vertió de su volumen y golpeó el suelo como bolas de hielo. Había llenado su ropa hace un tiempo, el trabajo demasiado caliente para usar un solo hilo. Un dongle de adrenocorticotropina mantuvo su volumen en el pico y sus testículos en el hielo, este último del tamaño de guisantes, su pene una vaina.

Como si estuvieran en la pista, los cinco hermanos Digris se detuvieron, un mensaje de neuramail derramando sus callos.

Nuevas órdenes. Se necesitan carreteras de emergencia a tres millas de distancia, había un agujero en una carretera importante, aunque poco utilizada. La de la prisión de Patarei.

Su hermana Avars los saludó. "Trae tus palas", murmuró. Ella también no llevaba nada, el sudor goteando de ella. Sus pechos eran indistinguibles de los suyos, sus músculos pectorales lo que lo convierten en un hombre musculoso, su dongle convirtiendo el suyo en bultos vestigiales. El bulto en su lomo sin pelo enterró la hendidura vaginal en capas de músculo.

La pala en mano, Ivars se unió al archivo, tercero en línea alfabética como siempre, a pesar del hecho de que no podía deletrear. Caminaron la distancia a su debido tiempo, sus pasos sincronizados sacudiendo el suelo como gigantes alegres.

La carretera de la prisión de Patarei era una franja desnuda de tundra de seis metros de ancho, ni un solo magnamóvil sobre ella. Además, estaba intacto. A lo lejos, el lloriqueo de un magnacamión se podía oír.

—¿Órdenes? Avars preguntó en voz alta. Como líder, se encargó de la comunicación con el despacho.

Ivars escuchó el contenido, y la estática era todo lo que regresaba, la neuranet tenía cobertura irregular en regiones remotas.

El ruido del camión magna se estaba haciendo más fuerte, el vehículo todavía fuera de la vista sobre la colina.

El canal neuranet se despejó. "Detengan al magnacamión", dijo una voz femenina suave en, su pantalla blanca. "Mata a todos los ocupantes del vehículo excepto al de naranja."

El naranja era el color universal del prisionero, Ivars lo sabía.

—Evars, Ovars y Uvars, toman la retaguardia. Ivars, coge al conductor.

Todavía estaba desconcertado por el mensaje ilógico cuando el magnacamión se vio en la colina y pasó por la colina, moviéndose rápidamente. Saltó en su camino, su pala balanceándose, sus hermanos de incubadora saltando.

La parrilla doblada a su alrededor, la pala cortando a través del parabrisas como una espada a través del queso, cortando la cabeza del conductor.

Avars giró su pala en el lado del pasajero, su hoja encontrando su marca.

Evars, Ovars y Uvars aterrizaron en la parte trasera y arrancaron un agujero en el techo. Evars se metió, sacó un guardia uniformado por la cabeza y arrojó el cuerpo como una muñeca, el cuello roto. Un resplandor azul iluminó el cielo y Ovars cayó hacia atrás, con el brazo como un cerdo asado. Uvars saltó cabeza primero, sus pies de palo como mástiles de barco revoloteando en el aire, los lados del magnacamión abultados hacia afuera. El vehículo se cayó de lado de la carretera, arando en la ladera lejana, dando el golpe, la cabina descansando en su nariz.

Avars llegó y sacó una figura esbelta, vestida de naranja, del compartimiento trasero. Ella cubrió la figura inconsciente a través de sus hombros como una piel y pisoteó hacia el frente.

—Atrápenlo, —dijo Ivars, el capó del vehículo hasta el cuello, un diente del tamaño de un pulgar que sobresale a través de su mejilla, una herida de la sien a la mandíbula.

Avars miró hacia el vehículo encima de él. “Evars, Uvars, prestad su fuerza.”

Los tres levantaron fácilmente el magnacamión de Ivars. A pesar de su volumen, el joven Omale no era invencible, una navaja le había perforado el abdomen y le había cortado la columna vertebral.

Se empujó a sus codos y miró hacia abajo a sus extremidades inferiores no respondieron. "Bueno, nunca tuvo mucho uso de la pierna. No estoy seguro de por qué necesitaría las otras dos."

Sus hermanos se rieron, Ovars caminando con su talón ennegrecido, un olor a cerdo a la parrilla que le seguía.

Un magnamóvil se acercó, su lloriqueo sobre la colina.

Ivars miró, sintiendo su fuerza disminuyendo.

El vehículo se salió de la carretera y se detuvo junto al magnacamión. Un Ofem salió, elegante y delgado comparado a los hermanos musculosos y toscos. "Mételo", dijo el Ofem.

Ivars reconoció la voz, la misma que dio las órdenes.

Avars levantó a la Imale vestida de naranja de sus hombros y la metió en el magnamóvil. El pequeño Ofem recuperó la pistola blasma que había quemado el brazo de Ovars y se arrodilló junto a Ivars. "Hermano, ¿podrías dar a tus hermanos su liberación?"

Miró el arma que ella le había entregado. Miró a los restos del magnacamión, justo ahora viendo el emblema de la Coalición en su lado arrugado. No hizo falta grados en balística saber qué pasaría con sus hermanos.

—Ovars, —dijo Avars, señalando.

Un talón humeante donde había estado su brazo, Ovars obedeció y se arrodilló junto a Ivars.

—¿Estás seguro, hermano? Ivars dijo.

—Por favor, eres tú o el reciclador.

Ivars asintió con la cabeza, apuntó la pistola con la mano temblorosa y apretó el gatillo.

Ovars rodó y cayó, una ceniza reemplazándolo de la cintura para arriba.

Uvars y Evars, hermana y hermano, se alinearon. "Sabes lo que nos harán, hermano", dijo Uvars, con una sola lágrima goteando por su mejilla.

Ivars lo sabía y no quería considerarlo. Primero la destrozaría a ella y luego a su hermano Evars.

—Ahora yo, hermano, —dijo Avars, —y entonces puedes morir en paz.

Ivars lloró mientras destrozaba a su hermana, que también era la única madre que había conocido.

La mujer delgada se arrodilló a su lado. "Te agradezco tu valentía y sacrificio, hermano. ¿Puedo ayudarte?"

El dolor era abrumador, y sabía que era demasiado débil para apretar el gatillo de nuevo. "Sí, por favor." Ivars la miró claramente. "¿Por qué de esta manera? ¿Por qué nosotros?"

—El creador nos llama a todos. Tú y sus hermanos de incubadora fueron llamados antes, es todo.

E Ivars comprendió un hecho profundo y rotundo: que no sabía la razón, que no había una razón para saberlo. ¿Qué más había que saber, excepto que nunca lo sabría?

Y que nunca lo habría sabido.

El rayo azul de blasma acabó con su vida.

Maris se despertó con Ilsa por encima de él, sacudiendo su hombro.

El techo estaba demasiado cerca detrás de ella y el olor del cuerpo sin lavar era demasiado denso a su alrededor para ser natural.

—Vamos, —dijo ella. —No podemos quedarnos aquí." Prácticamente lo llevó a sentarse, insistente. "Tenemos que irnos.

La memoria se arremolinaba en su lugar. Un largo viaje en un magnacamión hacia la prisión de Patarei, el coronel Astrauckas lo envío sin fanfarria, sin previo aviso, sin piedad.

—Te dije lo que pasaría, —dijo Astraukas antes de que los cuatro osos de las encías se hubieran regodeado en una extremidad. "Llévalo al magnacamión."

Había intentado seguirlo, pero su enlace de neuranet estaba muerto. Le habían metido un dongle sedante al principio. En el camino, lo habían vestido con trajes naranjas, el uniforme universal del prisionero, sus extremidades de goma. Más tarde, cuánto tiempo después, no lo sabía, el sedante se había desgastado un poco, pero había mantenido sus extremidades cojeando, con la esperanza de atraer a sus guardias a la complacencia.

Luego él y los dos guardias se habían estrellado contra la parte trasera de la cabina, lanzado allí por impulso, y momentos más tarde, el techo fue arrancado a un lado. Un guardia fue arrancado de cabeza a cabeza, con el cuello chasqueando con un golpe sordo. El otro guardia disparó un tiro, pero fue lo último que hizo, una montaña de carne que lo destrozó. Entonces el magnacamión se desenroscó y se estrelló, Maris perdió el conocimiento.

Y ahora estaba aquí, en una cueva densamente llena, que le dijeron que tenía que irse.

No podía caminar erguido, y agacharse le causó más vértigo. Tropezando detrás de ella, sólo oyó el susurro de la ropa, la respiración de la tensión, el silencio de la hostilidad.

Y no eran sólo unas pocas miradas hostiles. Eran cientos. Los ojos brillaban en él desde todas las direcciones, todos dirigidos a él.

Ella tiene razón, pensó, tenemos que irnos. Sabía que no era bienvenido. Ella lo había traído porque era bienvenida, pero la estaban odiando porque ella lo había traído. Ohumes, todos ellos, se dio cuenta.

Como ella.

A diferencia de mí.

La cueva se convirtió en una tubería. Medio doblado, no encajaba. Tuvo que gatear. Se dio cuenta por los rasguños en sus hombros que había sido arrastrado a través de una tubería. Había oído rumores sobre tales lugares, estaciones de camino para Ohumes huyendo de sus contratos, dirigiéndose primero a la cirugía para quitar sus dispositivos de posicionamiento galáctico, el siguiente para el Ihume o Ohume más cercano capaz de ofrecerles santuario y tal vez el comienzo de una nueva vida. Si estos rumores fueran ciertos, Maris se preguntó si otros rumores más extravagantes también podrían ser ciertos.

Un planeta entero de Ohume liberado era simplemente una fantasía demasiado descabellada, decidió.

En algún lugar detrás de ellos, una escotilla se cerró, dejándolos en completa oscuridad.

Se arrastró hasta Ilsa.

—Silencio, quédate completamente quieto, —susurró. —No uses tu trake.

Su cuerpo se sentía como carne pulverizada, golpeado con un martillo tierno. Su mente se sentía como puré de papas, de las falsas, batida en una mezcla, un tejido blanco suave sin forma ni estructura. Carne y patatas, pensó, debo tener hambre. El silencio los rodeaba, llenaba sus pensamientos de miedo.

Acero rallaba el acero, y ella empujó a un lado una escotilla. "Izquierda", dijo, extrayéndose en una tubería más grande. Ella la cerró detrás de él, contando en la oscuridad.

Contando sus pasos, se dio cuenta.

—Aquí, —susurró. Una vez más, el metal rallando, y algo chirrió cuando abrió. "Entra."

No podía ver a qué se refería, y ella tenía que guiarlo. Otra tubería, esta era un poco más grande, una en la que podía pararse, estando medio doblado. Ella tiró de la escotilla cerrada detrás de ella y apretó más allá de él.

Otra escotilla, otro conteo, otra tubería, esta era más larga que la anterior. Lo suficientemente grande como para ponerse de pie.

Cinco escotillas más, cinco conteos más, cinco tubos más, cada uno cuenta diferente, cada tubería más larga, cada una con un aroma diferente, cada una con una sensación diferente. Todo en completa oscuridad, los únicos suenan los de la respiración y los pasos.

—Arriba, —susurró ella, y ella puso su mano en una escalera de metal.

Suspiró, a punto de estallar de la privación sensorial. Por encima de él estaba el fantasma de la luz, pero más que su ausencia. ¿Qué era la oscuridad sino la ausencia de luz? Pero incluso en la oscuridad, la mente suministró luz donde no existía. Había estado dando forma visual a los sonidos, olores y sentimientos.

Pero el borde de luz por encima de él era diferente.

—Mantente callado, amonestó mientras a tientas en busca de escalones, tirando de uno a la vez, sin atreverse a ir más rápido, sin atreverse a esperar la luz del día.

El aroma era el del aire fresco. Más fresco que cualquier aire de la ciudad.

Fue, se dio cuenta, sutilmente como el aire de Telsai, sutilmente diferente del aire de Crestonia.

Cualquier aire era mejor que el aire quieto y sin vida que acababa de dejar atrás.

Se paró en una cisterna, se dio cuenta, Ilsa subiendo la escalera para estar a su lado. Luz filtrada a través del techo. Selló la escotilla y se volvió hacia la pared. "¿Vienes?"

Y se dio cuenta de que lo que había pensado que era el techo era, de hecho, el cielo nublado, la luz tenue a un lado el resplandor de Telsai.

Ella abrió el camino por el lado de la cisterna.

Al subir por encima de la cima y comenzar por el otro lado, se dio cuenta de que estaba mirando hacia abajo en el centro de incubación Plavinas vacante desde justo fuera de sus vallas de seguridad.

—Vieja cisterna antes de que añadieran toda la seguridad, —susurró una vez que estaban en el suelo.

Sin aliento, se sintió listo para caer, la subida de la cisterna habiendo tomado la última de sus fuerzas.

—Hay un magnamóvil sobre esa colina.

Maris cayó de rodillas y habría llorado si hubiera tenido la energía.

—Aquí, —dijo, entregándole un dongle mastoideo.

Lo enchufó, y una avalancha de adrenalina retó el dolor y la fatiga. Sabía que lo lamentaría mañana.

Cómo ella encontró su camino a lo largo de la estrecha pista de animales a través del bosque, él no lo sabía.

La dependencia parecía ser parte de una estación de mantenimiento abandonada. Ilsa empujó lo que parecía ser una pared sólida, y se deslizó a un lado sin un sonido. Dentro había un magnamóvil, con la escotilla abierta.

Peterson cayó en ella y se acurrucó en una pelota, sacando el dongle. La fatiga y el dolor afirmaron lo que quedaba de su conciencia.

CAPÍTULO QUINCE

MIRÓ A SU ALREDEDOR, ARRANCADO DE SUS amarres.

El detective Maris Peterson ya no lo era. El fugitivo Maris Peterson había tomado su lugar.

Además, la cuidada fachada de la civilización había sido raspada de su espalda, exponiendo el engaño crudo de su sociedad anal y los excrementos siendo expulsados en diarrea.

"Tuve suerte de encontrar este lugar", dijo Ilsa.

Detritus de un movimiento apresurado cubrió el suelo. Glasma agrietado detrás de persianas colgantes se burló de telarañas esparcidas en profusión azarosa entre la pared y el techo. Las puertas estaban medio abiertas, suspendidas en indecisión perpetua. La morada apestaba con un largo abandono, su vacío se llenaba de los ecos solitarios de la gente que se había ido años antes.

Parpadeó mirándola a ella, con la mente en blanco. Su cuerpo era un manojo de dolores, víctima de dos impactos de alta velocidad amortiguados sólo por los guardias sobre los que había aterrizado, la conciencia perdida en el segundo impacto. "¿Qué era ese lugar?"

La mirada era eterna, parecía.

Las posibilidades que se arremolinaban a través de su mente en ausencia de una respuesta presagiaban la que él tenía.

"Un santuario."

Para Ohumes fuera de contrato, huyendo de sus contratos, acurrucados en una cueva en algún lugar, cientos de ellos, sobreviviendo de alguna manera en el borde del desierto cerca de una instalación de incubación de Ihume, cuyos espermatozoides, óvulos y embriones habían sido consumidos por nanoquinas no hace dos semanas. No, no sobrevivir. Esperando. Una estación de camino en el viaje a otro lugar.

No era irónico ni sardónico. Su presencia fue tanto un golpe a su existencia prosaica como su transición de detective a fugitivo.

—Ya se habrán reubicado. Su mirada era tan hueca como la suya.

—¿Quién eres? Y cuando Maris hizo la pregunta, se dio cuenta de que lo estaba pidiendo tanto de sí mismo.

Su transformación a La guía Ofem en Plavinas Incubation a su encarnación actual había hecho más para destruir su existencia que los otros dos impactos combinados. Su mente era un manojo de moretones, víctima de tres impactos de alta velocidad amortiguados por nada más que el hecho de que él continuó existiendo, que su corazón continuó latiendo, que no había muerto. Había perdido la vida, pero seguía viviendo.

Sardoni, una planta que cuando se comía produce risas convulsivas que terminan en la muerte. Tortura hilarante.

—Me entregué para ayudarte, y ahora lo he perdido todo.

—Pensaste que nos ayudarían. No sentía empatía por sus pérdidas. Ella lo había engañado desde el principio. Nunca había sido guía Ofem en Plavinas. Había sido una agente de la resistencia Ohume, traficando con árboles fugitivos al santuario cercano, un enlace en un ferrocarril subterráneo. Ayudando a socavar a la misma sociedad cuyas leyes había jurado defender.

Sabía lo que tenía que hacer, y sin embargo vaciló.

—Entregarme puede que no te ayude mucho.

Una celda de prisión le hizo señas, su entrega poco probable para mitigar la sentencia extrajudicial impuesta por la Coalición, esa misma sociedad cuyas leyes había jurado defender. Lo habían traicionado y no dudarían en hacerlo de nuevo. Su único propósito era preservarse a sí mismo.

Él era un fugitivo de la justicia extrajudicial. Ella era una fugitiva de la resistencia.

Nos acostamos en colchones de ilusión entre sábanas de mentiras, levantamos mantas de engaño, nos acurrucamos la cara en almohadas de pretensión, y por alguna razón nos sorprende cuando nos despertamos dentro de una elaborada fantasía.

—¿Adónde vas a ir? —preguntó él.

Su mirada se estremeció y luego cayó al suelo. "Yo... ¿No puedo...? ¿No lo harás...?"

Maris negó con la cabeza, e Ilsa estalló en lágrimas.

La exhibición inconsolable pretendía hacerlo sentir algo, se quedó mirando, inexpresivo. No le quedaba cariño. No, no la entregaba, pero tampoco la llevaría con él, su traición dejándolo frío. Se puso de pie.

"¡Pero yo te salvé de la cárcel!"

Su súplica no lo tocó. Mientras su cuerpo magullado y maltratado pudiera sacarlo de su presencia, se iría. Se acercó a la puerta, esperando que más ganchos hundieran sus púas en su espalda, su carne demasiado destrozada para anclar más lanzas emocionales, una empanada de pseudo carne molida.

Nadie vino, y continuó caminando.

Filip Dukur, del Capitolio de Crestonia Beat, miró a Maris desde el otro lado de la mesa. "Usted realmente no espera que yo crea todo eso, ¿verdad?"

Maris negó con la cabeza. Durante cinco días, se había reunido con el reportero durante una hora cada mañana y una hora cada noche, cada lugar diferente, cada lugar público. "Espero que verifique cada evento, compruebe cada hecho y publique cada palabra."

Otros clientes chuparon alegremente su comida, desanimando al papanicolaou que les daban sus empujadores de la Coalición. El restaurante estaba cerca del puerto espacial de Crestonia, bengalas de barcos entrantes y salientes que se derramaban a través de glasma en una incongruencia agitada y sin sonido, un profundo estruendo como un terremoto distante para acompañar a cada uno. Maris deseaba poder aislar su mente tan bien del bullicioso cacareo de la sociedad.

No parecían estar buscándolo asiduamente. No hay salpicaduras de medios a través de la neuranet, no hay pantallas holo que ofrezcan recompensas por su captura, no hay acechadores apuñalándolo por la espalda con sus miradas.

Había mantenido el grupo de identidades alternas que había obtenido de Encubierto, dejando al menos uno en su mastoideo en todo momento, permaneciendo fuera del neuranet cuando tenía que cambiar de identificación. Los pequeños alijos de efectivo incrustados en cada identificación estaban casi gastados ahora, y Maris se preguntó si tendría que aprovechar sus cuentas clandestinas, si la Coalición no las hubiera encontrado y confiscado, es decir.

"Me llevará semanas verificar. Lo sabes, ¿verdad?"

Maris asintió, preguntándose qué haría mientras tanto. Mantener un perfil bajo nunca había sido parte de su personaje. Merodeando por la noche a través de salas de calderas y callejones durante los últimos cinco días había cobrado su peaje. Dormir durante el día y verse con Dukur en el medio había puesto una sombra en su alma como una barba en su rostro. Los hoteles estaban llenos de gente que había arrestado. Disfrazado o no, todavía despejaba los pasillos, algo sobre su actitud decía "detective". Bien por él, ya que no quería ser molestado, pararía dondequiera que fuera en cuerpo y mente. Dormir sus días era lo peor.

"Ella ha estado preguntando por ti, ya sabes."

Él lo sabía. De alguna manera, sabía que Ilsa lo mantenía en su mira. Dukur le había preguntado por ella dos veces en los últimos cinco días. Maris había sentido que le había preguntado al reportero qué estaba diciendo. Había mantenido su nombre fuera de su narrativa lo mejor que pudo. Trató de decirse a sí mismo que no le debía nada, pero el amor como el suyo no podía ser valorado, su pérdida imposible de valorar. Peor en los últimos cinco días había sido su ausencia, un agujero negro en su vida tan grande que su núcleo galáctico había caído. Nunca se sentiría entero de nuevo. Y sin embargo...

Maris miró a Dukur. "Dicen que es mejor haber amado y perdido, ¿no es así, chico?" Él resopló y negó con la cabeza. "Es el pezón de goma podrido en una botella de bondad humana hueca." Hizo un guiño como si estuviera sufriendo y miró a su alrededor. "Tengo que usar la cabeza."

Se levantó y se deslizó hacia el baño de los hombres, sosteniendo su mano apretada en su cintura, los hombros encorvados, la cara pellizcada. Algún arquitecto astuto había puesto el baño cerca de la puerta, a propósito, para un establecimiento tan cerca del puerto espacial. Maris entró, se enderezó, tiró los hombros hacia atrás, alisó su rostro y salió por la puerta como otra persona.

Se dirigió por la calle, sin propósito. Aquí, los despegues y aterrizajes asaltaron los sentidos, el hormigueo del plasconcreto bajo sus pies, el rugido borrando sus pensamientos. Ojalá pudieran destruir su pasado y el dolor que tenía. Un sol escupiendo al amanecer le salivaba con cintas frías de baba, las torres de Telsai burlándose de él para burlarse de sus secretos.

Maris convocó a un magnamóvil que no podía pagar y lo llevó a un motel sórdido que no recordaría. Dormía por el resto del día, puertas golpeando a ambos lados, voces de normalidad invadiendo sus horas anormales.

Se despertó por la tarde, disipando los sueños de ella. Ilsa había saturado los acuíferos de su alma, sumándose a la base de su cacofonía. Sabía lo que pasaría si no hacía algo. Por ese camino estaba la disolución y la disipación.

Empieza por el principio, se dijo a sí mismo.

Sabile Nanobio Research en las afueras de Telsai no parecía diferente ahora que lo había hecho hace un mes. Maris se preguntó por la temeridad del establecimiento para resistir el cambio.

La Sra. Jurgis levantó la mirada de su escritorio al acercarse, el cubículo vacío detrás de su rebaño corporativo. "Perdóneme, pero la señora Sarfas todavía está de permiso. ¿Tal vez alguien más en genética puede ayudarle?"

—¿Permiso? ¿Qué tipo de permiso?

—Puedes preguntarle al personal por esa información, señor, mis disculpas. ¿Tenías negocios personales con ella?

—Su marido, —dijo Maris.

La mujer vaciló. "¿Lo siento, no he captado su nombre?"

"Sólo un charco, es todo lo que encontramos", dijo. "Dime, señora Jurgis, ¿algún ir y venir al laboratorio ese día?"

Su mirada subiendo y bajando su traje arrugado. Como si ella pudiera reconocerlo por sus arrugas. "Cada momento de retraso resulta en una pérdida de evidencia, ¿no crees?"

No le sonrió, pero podría haberlo hecho.

—No lo sé. Es... difícil de recordar, todo lo que ha pasado.

—¿Ha guardado los videos de vigilancia?

—¿Por supuesto, Sr...?

—Didgalvis. Maris Didgalvis.

—Permítanme configurar el acceso en esta estación de trabajo, Sr. Didgalvis. Hizo gestos en un cubo cercano, donde las plantas en maceta y los alambiques tropicales daban algunas pistas en cuanto a su ocupante terroso.

En unos momentos, estaba navegando videos de seguridad desde el día en que Sarfas murió.

Mientras navegaba, la Sra. Jurgis le trajo el registro de visitantes.

Poco a poco, los marcó, viendo los videos.

Abols de Broceni Laboratory Supply, Freimanis de Grobina Chemical, Bertans de Ligatne Electrical, Darzin de Mazsalaca Instrument, Eglitis de Piltene Pharmaceutical, Janson de Plavinas Incubation, Skrastin de Valka Industrials.

Maris se estaba rascando la cabeza por el número, que él pensaba inusual. Miró de nuevo a la lista de nombres. "Jurgis, póngame con el doctor Briedis, por favor."

—Claro, señor Didgalvis.

Rihard Briedis vino paseando por el pasillo unos minutos más tarde, con la frente surcada. Corrió su mirada a través de Maris como si inspeccionara un cargamento.

—¿Por qué tantos visitantes, doctor Briedis?

La vacilación probablemente se debió a la ausencia de introducción. "Supervisaba la unidad, el Sr. Didgalvis. La siembra y la reposición era uno de sus deberes."

Maris señaló la rareza en el registro de visitantes. "¿Por qué Plavinas Incubation?"

Los ojos se estrecharon y la frente se surcó aún más. "No sé, señor Didgalvis. Sra. Jurgis, ¿Qué dio Plavinas Incubation ese día?"

—Déjeme buscar las facturas, doctor Briedis.

Maris ordenó a través de los de seguridad para sacar el de Janson y se congeló.

Ilsa.

—¿Qué pasa, señor Didgalvis?

Maris luchó para alejar sus ojos del vid. Llevaba una caja criogénica por un largo pasillo que se convirtió en la antesala del laboratorio, donde fue recibida por Eduard Sarfas, un letrero de riesgo biológico en la puerta justo detrás de ellos.

—La factura dice materiales biológicos vivos, —dijo Jurgis

—Probablemente para pruebas de nanoquinas, añadió el Doctor.

Janson le dio la caja a Sarfas, quien firmó, habló con él durante unos minutos, se sentaron y se quitó sus zapatos.

—¿Qué está haciendo? Briedis dijo.

Se puso de pie, dio un paso adelante, se frotó los pies en la alfombra, y luego se puso los zapatos de nuevo.

Sarfas levantó el pie, señalando a la suela.

—No hay sonido a este video, ¿verdad? Maris miró a la secretaria.

Ella negó con la cabeza.

—¿Alguna vez reportó algún problema con sus pies?

—De hecho, lo hizo, —dijo el doctor Briedis. —El trabajo requería mucho esfuerzo, a veces ocho horas al día.

Ilsa dio un paso atrás y le dio un gesto a Sarfas, con las manos abiertas. Sarfas se quitó los zapatos y dio un paso adelante, como si en su gesto.

Maris metió la mano en el video, lo detuvo y lo retrocedió hasta el lugar donde Ilsa se quitó los zapatos. "Un marcador", dijo sobre su hombro. Le dieron un holo bolígrafo en la mano. Rodeó el lugar en la alfombra donde Ilsa se frotó los pies, y luego Maris adelantó rápidamente hasta donde Sarfas se quitó los zapatos.

Las marcas de holo bolígrafo rodearon los pies de Eduard Sarfas.

CAPÍTULO DIECISÉIS

Los círculos de holo bolígrafo flotaban a través de su visión. Ilsa saltó del techo alfombrado, cuerdas holo bolígrafo alrededor de sus tobillos, un puré de proto vertiendo de sus bolsillos. Lo que golpeó el suelo no fueron salpicaduras de proto sino gigantescos conjuntos de nanoquinas, sus brazos de araña arrebatando a los niños en el Desarrollo de Plavinas. Hordas de niños huyeron del edificio, arañas nanoquinas persiguiéndolos y creciendo cada vez más con cada niño que consumieron.

Maris se sentó directamente en la cama, sudando y jadeando. Corrió a la ventana y empujó a un lado las persianas.

El tráfico normal de medio día estaba la avenida tres pisos por debajo, carros magna y peatones moviéndose a través de su normalidad prosaica y diurna.

Se dio cuenta de que estaba desnudo, contento de que estuviera en el tercer piso. Un arresto por indecencia no se vería bien en un currículum que ya está más allá de la redención.

Se tropezó con la limpieza, con ganas de limpiar la sonrisa de su mente. Los bostezos no despejarían la niebla de su cerebro, y se preguntó si el café podría ayudar.

Café.

Con crema.

Salió volando por la puerta. El restaurante del centro donde había visto al Doctor Juris Raihman parecía estar lleno de negocios sin cesar, como si nadie hubiera muerto en las instalaciones de un ataque de nanoquinas hace una semana.

—Claro que puedes mirar los videos de seguridad, —dijo la propietaria, Betty de Betty's Breakfast Diner. La Betty en la carpa era significativamente más delgada y joven que la Betty señalando a Maris en la cocina a través de la puerta trasera.

¿No nos adaptamos todos a nuestros avatares? Maris se preguntó.

—De hecho, —dijo Betty, —tengo uno en el dispensador de crema para mantener a mis chicas dedos claros de la mercadería. ¿No es cierto, Charlie?

—Así es, Betty, —dijo un Omale que pasaba por ahí con un bocado de comida, una bandeja llena en su hombro. Se sumergió en un par de puertas giratorias, y la cacofonía de un restaurante en la máxima fiebre de la tarde inundó la cocina.

Ella lo llevó a su oficina, un armario de escobas que necesitaba una buena escoba. "No hay lugar para que te sientes, lo siento. ¿Cómo dijiste que te llamabas?"

No lo había hecho. "Peterson, Maris Peterson." No se había molestado en usar una identidad, tan apresurado a llegar al restaurante. "¿Por cuánto tiempo mantienes tus videos de seguridad?"

—Alrededor de un mes. Me imagino que, si no los he cogido en ese momento, no lo haré de todos modos.

—¿La ubicación en el centro de Crestonia mantiene la suya por una cantidad similar de tiempo?

Ella asintió y ajustó los controles de un holo por encima de su escritorio, con la mandíbula trabajando. El holo brilló a través de varias opciones en sus comandos, la marca de fecha de tiempo en la esquina revirtió rápidamente a la hora señalada. "Aquí está el video."

La vista representada era la cara de un dispensador de crema desde arriba, la cámara de seguridad montada en el techo, capturando tanto la parte superior del dispensador, donde entró la crema, y el frente, donde la espiga la dispensaba. Por encima de la espiga había un escáner de retina, junto a él una esfera.

La imagen representada mostró a la camarera

Ofem que había servido a Raihman girar la esfera, empujar una taza de café humeante debajo de la espiga, y poner su ojo a la retina. Una gota de crema regodeada en el café. La camarera se alejó, y una mano enguantada llegó al campo de visión y arrojó un frasco de líquido plateado en el café.

"Pausa."

El video se congeló.

—¿Tienes otro video de seguridad?

Betty asintió. En un momento, tenía la cámara de la puerta trasera en la pantalla, mostrando a Maris viniendo hace unos minutos. La marca de fecha de tiempo en la esquina se tambaleó hacia atrás.

Una figura delgada en fedora y gabardina se deslizó por el callejón de la puerta. El sombrero oscureció todo menos un atisbo de la nariz recta y delicada por encima de los labios rosados completos. La puerta cedió a unos guantes.

Un video desde el interior de la puerta mostraba a la figura sombría abrirse camino hacia el dispensador de crema. La camarera le dio a la persona una mirada mientras se alejaba del café cremoso debajo de la espiga.

Una mano enguantada arrojó un frasco de líquido plateado en el café, y la persona se volteó, la cabeza hacia arriba.

Rápidamente, la cabeza se hundió, y el fedora una vez más oscureció las características.

—Deténgase. No podía sentir sus mejillas, y se le estaban nublando los bordes de la visión.

—¿Ves un fantasma o algo así?

—Gracias, Betty. Voy a necesitar esos videos.

—¿Adónde los envío?

—Teniente Balodis, comandante, Distrito Central de Telsai, pero no le digas quién te pidió que los enviaras. Se tropezó en el pasillo, se detuvo. —Alguna forma de acceder a los videos de Crestonia desde aquí?

—No, temo que no, todo está en servidores internos, sin acceso neuranet, señor Peterson. ¿O es ese detective Peterson?

Negó con la cabeza. "Ya no."

Betty lo miró arriba y abajo, como si el compromiso con su alma fuera visible para que todo el mundo lo viera. "Enviaré una comunicación a la gerente, se llama Brigita Baltakis."

"Gracias." Maris se tambaleó en el callejón, su mente se atascó en el fedora que para revelar la cara.

Un robot de basura se quejó en la carga que tiró en su contenedor. Un traje de negocios se apresuró a alejarse de un hombre sin afeitar, ambos metiendo una mano en un bolsillo para ocultar lo que estaba en la mano. La necrosis comiendo a través de su mente coincidía con el hedor de los alimentos podridos y la orina marinada en sus fosas nasales. Ambos lo persiguieron desde el callejón. Las aceras abarrotadas le negaron santuario. Magnamóviles y magnacamiones le ofrecieron nada más reconfortante que el olvido de la muerte.

Sacó un puñado de dongles de su bolsillo. No le ofrecieron ningún disfraz de su desesperación. Eligió uno al azar y lo metió en su mastoideo. Maris Petras, Enlace, División de Angustia adolescente, Oficina de Integridad Gestacional, Departamento de Servicios de Manutención Infantil. Enterrado en la burocracia no le dio ningún respiro de su angustia.

Reservó un suborbital con el último de dinero en efectivo en posesión de esa identidad y pasó a un magnamóvil al puerto espacial. El vuelo de tres horas lo llevó a medio mundo, pero no pudo sacarlo de la miseria.

Dormía en el suborbital, rezumando en el asiento vacío junto a los suyos.

El puerto espacial Crestonia parecía tan desolado como la última vez que había visitado. El aire olía a corrupción, el hedor venal cada vez más fuerte mientras más se acercaba a la capital. Tentáculos de influencia agrietaron el estado, edificio señorial, dinero derramando sus puertas como aguas residuales de inodoros obstruidos. La mancha casi lo contaminaba antes de llegar al restaurante.

El camarero Omale había dicho: "Una mujer trajo un paquete. 'Pon el contenido del tubo en su comida'."

Brigita Baltakis ya tenía los videos de seguridad en el holo. "Betty me dijo que vendrías."

"Gracias."

Una figura delgada en fedora y gabardina se deslizó hasta el mostrador, la mandíbula funcionaba como si la persona estuviera hablando en un comunicador. Un pequeño paquete se mantuvo cuando la persona se había ido, un paquete que el camarero recogió.

Un segundo video de seguridad por encima de la entrada mostró el fedora entrando, la cabeza hacia abajo, sólo la barbilla visible. Un tercer video mostraba el fedora saliendo, la cabeza subiendo, exponiendo los labios rosados llenos bajo una nariz recta y delicada.

—Deténgase. Aquello rugió como tornado en sus oídos, y los ciclones borraron todo menos el video congelado delante de él. "Por favor, envíe estos videos al teniente Balodis, precinto de Telsai."

—Ciertamente, el señor Peterson, o Petras, o lo que sea.

Le dio a Brigita una breve sonrisa, su tormenta interna subsidiando brevemente. "Gracias."

Al salir de la entrada trasera, el propietario lo detuvo. "¿Quién era ella, señor Peterson?"

—Un Ofem de ninguna notoriedad, —dijo. —No te preocupes. Vamos a aprehenderla pronto.

Maris le dio las gracias de nuevo, esperando que hubiera cubierto su desconfianza, y se devolvió a la calle. Un sol en declive le declinó su calor. A última hora de la tarde las multitudes le arengaba con caras impasibles. Vehículos en la avenida lanzaron burlas contra él en sus lloriqueos de paso. El viento le golpeó con acusaciones. Nubes de cúmulos lo condenaron por conspiración.

Maris miró un banco de videos de seguridad y vio una repetición de la noche en que la comida china fue entregada a su puerta en el Hotel Holtin.

Estaba todo allí, pero no había nada allí. Desde el momento en que la comida entró en el hotel hasta el momento en que llegó a la puerta del décimo piso, todo estaba en vid. Momentos después de que se dejó en su puerta, Maris e Ilsa se bajaron del ascensor y se acercaron. Pero en ningún momento fue manipulada la comida china.

La identidad de la repartidora era fácil de obtener, suficiente video hotelero para una métrica facial completa. Además, consiguió los registros de neuracom para esa noche y localizó la comunicación de Ilsa al restaurante. El escuadrón de homicidios de la policía de Crestonia le debía algunos favores.

Lámparas de borlas doradas colgadas de aleros curvos. Al entrar en el restaurante, una cabeza de ciber luz se volvió hacia él y rugió con todo el poder de un gatito.

El propietario era un Ifem de ascendencia caucásica. “¿Esperabas a Fu Manchu?”

Le contó lo que había pasado y lo que necesitaba.

—Sí, sus hermanos de azul me preguntaron por ella. Firma de contratos, Vilaka Temp. ¿Ya sabes, uno de esos nombres contradictorios?

—¿Un oxímoron?

—Sí, uno de esos. Un servicio temporal de esclavos permanentes.

Vilaka Temp operaba desde un almacén sórdido en el distrito industrial, el estruendo de magna camiones sacudiendo la zona de recepción cada pocos minutos. El secretario Omale entró por una puerta interior para buscar a la persona que Maris había pedido ver. La zona de recepción de repuesto tenía pocas comodidades, un par de sillas, un holomagazine de hace tres años, un dispensador de agua vacía.

Maris conocía el juego. Compraban los contratos de Ohumes que habían desprendido varias tareas o a través de la desventura se habían encontrado repetidamente devueltos a su fabricante original como defectuosos. Vilaka Temp compraba entonces el contrato y dotaba a los trabajadores a las empresas que requerían mano de obra barata, rápida, abundante y no calificada a tasas muy por debajo del salario mínimo.

Ohumes contratados a empresas como Vilaka Temp ganaban poco, se les cobraban cuotas de colocación por cada asignación, y se encontraban acumulando "membresía" y otras tarifas diversas, todo lo cual hizo de su trabajo por una tarea casi imposible. Además, las empresas que contrataron a Vilaka para el trabajo temporal les cortaba horas, cobraban honorarios incluso por un mínimo de suministros de trabajo, los sometían a los ambientes más duros, a las condiciones más peligrosas y a las tareas más peligrosas. El maltrato, las palizas y las violaciones eran rutinarios. Como los Ohumes no eran empleados, las empresas contractuales eran inmunes a las violaciones laborales. A Ohumes con la temeridad de quejarse se les dijo que llevaran esas quejas a Vilaka, quien rápidamente les dijo que sus quejas debían ser atendidas con la firma de contratos.

Decidió que había esperado lo suficiente y lo siguió, yendo por el camino que el secretario Omale había ido.

La puerta estaba cerrada. Aparte de la entrada, era la única puerta de la zona de recepción.

Su patada astilló la madera, y la puerta se desplomó hacia un lado en una bisagra.

Más allá había un pequeño almacén vacío, en la parte trasera una puerta abierta.

Peor de lo que imaginaba, pensó Maris, sonriendo a la vista. El código de negocios requería que todas las empresas tuvieran una dirección física, pero no especificaba la cantidad mínima de negocio que debía llevarse a cabo en esa dirección. Podrían haber alquilado una sala de calderas, pensó.

Pidió otro favor de Homicidios de Crestonia.

—¿Vilaka? Sí, grupo sospechoso, le dijo su contacto. —Déjame ver lo que puedo hacer.

En pocos minutos, Maris tenía el nombre y la dirección del Vilaka Temp Ofem que había entregado la comida china.

El magnamóvil despegó de la calle y se metió en un barrio que había visto mejores siglos. Hovels había sido raspado junto con restos de glasma y hojas de repuesto de plasmetal, pegadas junto con alambre de púas e imaginación. Las calles parecían una venta de escombros, excepto que las pilas de basura eran gratuitas para la toma. Ojos desesperados observaban la maniobra del magnamóvil entre las pilas, la mayoría de los Ohumes aquí son probablemente están escapando sus contratos. Maris sospechaba que el magnamóvil no dejaría el vecindario intacto.

—¿Qué quieres? El tipo medio doblado chilló medio vestido de detrás de una puerta medio abierta.

—Estoy buscando a Agnese Vanag. No me digas que no está aquí. Tenía su ubicación identificada, un mapa en su pantalla.

Ella cerró la bata y abrió la puerta. "Atrás."

"Atrás" era el siguiente espacio, apenas separado del frente por un paño colgante.

Agnese estaba sentada en una cuna sucia bajo un techo bajo, la luz fluyendo a través de las tablas que componen el techo irregular. En su mano había un dongle mastoideo. "Tienes suerte, estaba a punto de salir de aquí. ¿Vas a reciclarme?"

—¿Por qué? ¿No estás siguiendo tu contrato?

La mujer asintió. "No he pagado en tanto tiempo, no sé cuánto debo."

—Sólo quiero preguntarte sobre una entrega de comida china de la otra noche.

—¿Sí? ¿Eso es todo lo que quieres? ¿No quieres masturbarme?

Maris negó con la cabeza. "Solo información."

—Te costará.

Maris se encogió de hombros.

—La señora me detuvo cuando salí por la puerta de atrás, dijo que me dará cincuenta si abro la bolsa y miro hacia otro lado. ¿Qué idiota?, ¿verdad? ¿Vas a arrestarme por eso?

—¿Señora?

—No sé quién era, lo juro. En serio, no lo sé. Eso será cincuenta lats.

—¿Cincuenta para ninguna ayuda en absoluto?

—Voy a añadir una masturbada. ¿Qué te parece? Soy la mejor idiota que encontrarás por aquí.

—¿Qué tal si haces un gusano? Sabía que podía agarrarla fuertemente.

—Abajo en la estación, ¿verdad?

Se sorprendió de que viniera con él tan voluntariamente. En una sala de interrogatorios del recinto, el neura gusano serpenteó desde arriba, una brillante bobina de tubo trenzado. Al final había una calavera, sus entrañas lisas y negras, tan sin características como un vacío atemporal.

—¿Dolerá? —preguntó.

—No, —dijo, sin saber si lo haría o no.

—Muy bien, —dijo Agnese. “Mientras no duela, puedes masturbarme después.” No parecía entender que no estuviera interesado.

La calavera se moldeó a su cabeza, y su mirada comenzó a esmaltar, el gusano insertando nano tentáculos en su cerebro. La pared de la sala de interrogatorios se iluminó, arremetió con el caos.

—Concéntrate en la noche en que te llamaron al restaurante.

Trozos de luz fusionados en lámparas de borlas doradas que colgaban de aleros curvos. Una cabeza de dragón cibernético se volvió y chirrió.

—¿Entrega para Ilsa Janson? —preguntó el cajero.

El dinero fue cambiado por una bolsa llena de comida. La escena cambió al exterior. Una mujer con fedora y gabardina se acercó, se evitaron miradas, una nariz recta por encima de labios deliciosos. “Te daré cincuenta si abres la bolsa y miras hacia otro lado.”

Maris desenganchó el gusano, que se retractó en el techo.

—¿Todo listo?

Le entregó cincuenta e hizo un gesto hacia la puerta.

—Eso no dolió en absoluto. Aún puedes masturbarme. Aquí, permítanme subir a la mesa.

Vivir toda una vida de la cama a la cama, de pareja en pareja, podría hacerle eso a una persona, se supone.

Maris la llevó a detención, y luego regresó a la sala de interrogatorios y se sentó.

Las imágenes brillaban más allá de él una y otra vez, la mujer con fedora y gabardina, la nariz recta, los labios deliciosos. "Te daré cincuenta si abres la bolsa y miras hacia otro lado."

Debe haberlo visto cincuenta veces, y todavía no podía creer lo que estaba viendo.

CAPÍTULO DIECISIETE

¡Piensa! Maris se lo dijo a sí mismo. ¿Cómo pudo hacer eso? Ilsa estaba en el magnamóvil conmigo todo el camino de regreso de Balozi Neurobiotics. ¿Cómo podría estar acercándose a la Ofem de entrega y meter una dosis de nanoquinas en la comida? ¿Cómo pudo?

¿Y arruinar una comida buena además?

No importa cómo intentara armarlo, Maris no podía dar cuenta de que Ilsa estaba en dos lugares a la vez.

Con la cabeza baja, caminó en el sol poniente, la noche invasora amenazando más pesadillas. Los rebaños de tráfico emigraron hacia su casa a través de las calles Crestonia, el lloriqueo de los carros magna en el pico de la temporada, gritando para llevar a sus ocupantes a sus moradas.

Había arrestado a Agnese Vanag por romper su contrato y cómplice de un delito grave, y ella se deslizó hasta las rodillas a sus pies, balbuceando y babeando sobre su eterna gratitud, ya que ahora tendría una triple comida caliente y cama hasta el final de sus días. No había tenido el corazón para decirle que, si era condenada, ella sería reciclada.

Lloriqueo a un lado, vacíos escaparates al otro, Maris caminó hacia adelante, moliendo el enigma a través de sus neuronas mientras el suelo se enrollaba más allá de sus pies.

—Por favor, señor, ¿escatimar un lat. para una niña?

Se detuvo y miró hacia la voz.

En una estrecha abrazadera entre los edificios agachado un pelo retorcido, retorcido cayendo a los hombros delgados y cubiertos de jirones, los pies sucios que brotaban de los trapos, sus grandes ojos suplicando en cara manchada. La chica no podría haber tenido ni seis años.

La cara resonaba de un sueño que una vez había tenido, una hija que una vez había querido, una de las suyas. Se preguntó si había escapado del Desarrollo de Plavinas.

Un lugar en el que se dio cuenta estaba a sólo unas cuadras de distancia. Entrecerró los ojos en la puesta de sol hacia ella, pero no podía ver en el resplandor.

La chica se había ido de la abrazadera.

A medida que sus ojos se ajustaban, trató de ver más atrás en el estrecho espacio entre los edificios. Sacó una moneda de su bolsillo y pisó esa dirección. Entrando de lado, apenas encajaba, a pesar de que sus compañeros se burlaban de él por ser tan flaco.

Siguió más adentro, piedra fría tocándolo tanto delante como detrás. Detrás oyó un doble clic resbaladizo, como el sonajero de una serpiente. Pistola de plasma, distinta y satisfactoria sólo cuando estaba en su mano.

Y la suyo estaba en su funda.

—Ni lo intentes. Manos arriba. Una mano extrajo su pistola de plasma. "Sigue adelante."

Más adentro, donde el reflejo no podía penetrar, otro doble clic resbaladizo. Uno delante, otro detrás, ambos armados.

La traición alimentó un fuego vengativo. Habían cebado la trampa con la chica. Obedeció por ahora, atento a la oportunidad, deslizándose más en la abrazadera en sus indicaciones.

El suelo bajo sus pies se inclinaba hacia abajo, y la abrazadera se ensanchaba.

Se abalanzaron antes de que pudiera actuar, le pegaron los brazos, inmovilizaron sus piernas y luego ataron a ambos con una cuerda floja. Una luz ardía a centímetros de su cara, cegándolo. En algún lugar, un suspiro. Entrecerró los ojos para ver su fuente. "Es él." Dijo una voz Ofem, extrañamente familiar. La luz se apagó.

—Tal vez hay una recompensa. Un Omale.

—¡Tonto! Puede llevarnos a ella. Muy familiar.

—Nosotros no.

Alguien los calló a los dos. El susurro del movimiento sacó a dos personas de su rango de audición.

Maris trató de reconocer el espacio y sus ocupantes. La respiración de al menos otros tres. Una pistola de plasma lloriqueó en tono alto, apenas audible, con la punta normalmente iluminada apagada. No podía oír el segundo. Una persona estaba detrás de él, los sonidos respiratorios que indican que era alguien grande, y otras dos personas se pararon frente a él.

¿Qué tan grande es el espacio? se preguntó, y se raspó el pie. La cuerda retorcida se apretó inmediatamente. El eco indicaba grande, como en un área de almacenamiento, un sótano sustancial, pero con un techo bajo. Habría pilares y los restos de los inquilinos desde hace mucho tiempo que se habían ido. El olor era húmedo, el aire frío, por lo tanto, desocupado. Conocían bien el espacio, lo habían usado a menudo, no siempre lo usaban.

—¿Qué quieres? Maris se aventuró.

"Silencio", gritó. Hombre, grande, delante de él. Era musculoso, allí por su musculatura. Dos musculosos, una delante, otra detrás. El lloriqueo de plasma no vino de ninguna de los dos musculosos, ni con armas.

Maris lanzó su voz hacia el lloriqueo de plasma,

preguntándose a dónde se había ido el otro. "Tengo que orinar."

"Aguántate", respondió la persona. Registros vocales masculinos y femeninos mezclados para mezclar sus sentidos. Un Ohume cierto, probablemente macho, pero empapado en menos testosterona durante el desarrollo que los musculosos en frente y por detrás.

Los pasos se acercaron, dos juegos, con ellos el segundo ruido de la pistola de plasma.

—¿Sabes dónde está? Los registros familiares en la voz recordaban a alguien que Maris había conocido una vez.

El lloriqueo de plasma vino de su lado. Ella comandó el grupo. Su teniente con la pistola hizo cumplir sus órdenes. Maris miró su dirección. "¿Quién quiere saber?"

El musculoso detrás de él tiró de sus brazos entre los hombros. El dolor explotó en las articulaciones a medida que se acercaban a la luxación. "Sólo responde a la pregunta."

Maris dijo su respuesta, sin saber dónde estaba Ilsa, sabiendo sólo que ella acechaba al borde de su vida.

—¿Sabes cómo encontrarla? La voz Ofem tenía una familiaridad que se hundió profundamente en Maris. Alguien que conocía bien, o que había conocido bien.

—Mi libertad por mi ayuda.

El musculoso tiró de nuevo, y Maris gritó.

—Desátalo.

Dos voces objetaron. —Pero...

"Ahora." La orden fue simple y directa, sin prisas, la voz sin estrés.

Sus brazos sin ataduras, Maris se frotó las muñecas y flexionó los hombros, probando el rango de movimiento. "Realmente quieres mi ayuda."

Silencio, sólo respiración, el lloriqueo del plasma, el susurro de tela.

En la oscuridad, Maris pensó que veía el contorno de una cara. Su mente suministró lo que sus ojos no podían. Era el rostro de Ilsa, un deseo subliminal sublimado a la privación sensorial. Por supuesto, no podría ser la cara de Ilsa.

"Está usando tus identificaciones encubiertas. Puedes exponerla".

Encubierto podría haber expuesto a Maris hace mucho tiempo marcando las identidades que le habían dado. Alguien en la comisaría de Telsai todavía tenía sus espaldas. Un neuramail expondría a Ilsa. "¿Qué hay en él para mí?"

—Tu vida, —dijo el teniente masculino, el lloriqueo que se le acerca al hombro, un débil resplandor blanco que acompaña el movimiento.

Maris sonrió con las probabilidades. Cinco de ellos, dos con blasmas. Uno de mí, con las manos desnudas.

Un susurro, y el arma volvió al lado del teniente.

—La Coalición fuera de tus talones, —dijo la voz demasiado familiar.

Luego Maris entendió. Compañera de incubadora, hermanos genéticos y sociales, gametos clonados de la misma huella genética mantenida en criogénico cero-kelvin, elaborados a partir de la misma sopa de óvulo y espermatozoides, cultivados en la misma placa de Petri, ayudados por los mismos bastidores de gestación, criados uno al lado del otro en la misma incubadora.

Probablemente se parezca a Ilsa, pensó Maris. Dos lugares a la vez de repente se volvieron plausible con una hermana de la guardería. "Comida China" dijo.

"Sí, Detective." La voz era simple, triste. "Un tiempo diferente, antes de la traición."

Lo más cercano a una disculpa que tendría. Ilsa había traicionado a todos. Había traicionado a sus hermanas de incubadora, escapando de la Coalición con Maris buscando refugio entre los fugitivos Ohume. Ella lo había traicionado disfrazando quién era realmente, un agente de la resistencia Ohume.

Como estos Ohume.

—¿Por qué no te traiciono, llevándote a una trampa?

—Trataron de encerrarte de por vida. Sería un tonto por seguir sus órdenes todavía.

—¿Qué le harás?

—No es asunto tuyo. Ella no es tu sangre, —dijo el teniente.

—Un hermano de la guardería siempre nutre el capullo, —dijo el Ofem. —Voluntariamente o no.

Reciclaje, Maris decidió, los hidrocarburos redistribuidos entre los miembros sobrevivientes. Se dio cuenta tardíamente de que estaba negociando, lo que implicaba que ya había aceptado. Sólo los detalles necesarios para trabajar.

—Deja de esterilizar los Brehumes con nanoquinas, exigió.

—No estás en posición...

El Ofem cortó a su teniente Omale. —No podemos ayudarte. Esa no es nuestra lucha.

—¿Cuál es tu lucha?

—Terminar los contratos forzados. Eso es todo.

Maris oyó más en su voz de lo que estaba diciendo. Todo el mundo pierde en un juego de suma cero, pensó, y éste no está sumando. Se negó a creer que eso era todo lo que querían. Los Ohumes superaban en número a Ihumes casi nueve a uno y ya no necesitaba que Ihumes para perpetuarse. Por supuesto que querían librar a la galaxia de Ihumes y Brehumes.

Dice que no están detrás de la esterilización, se dijo a sí mismo. La información desmoronó el pilar central de su hipótesis. Su caso se desmoronó con él.

Si no es la resistencia Ohume, ¿quién los estaba esterilizando? Maris quería preguntarle a esta hermana de incubadora por qué ayudaría a Ilsa en primer lugar, pero él sabía la respuesta: porque ella era una compañera de incubadora.

—No hay trato, —dijo, encogiéndose de hombros. —La encuentras primero, bien. Hazme un favor y no le des a su proto contaminado al capullo, ¿de acuerdo?

—¿No vas a ayudar?

—No te detendré. Es una fruta baja, apenas madura. La parte superior del árbol me interesa.

—No te gustará lo que encuentres.

Y sintió que se alejaban, formas vagas que se desvanecían en la oscuridad, y antes de que lo supiera, estaba solo.

¿Dónde está mi pistola de blasma? se preguntó.

La pateó con el pie en el primer paso.

Enfundándola, se dirigió por la rampa y salió por la abrazadera hasta la calle. La ciudad derramó luz pegajosa sobre él, demasiado brillante para los ojos ajustados a la oscuridad. Las nubes delgadas velaban un cielo estrellado de la sospecha. Carros magna tararearon ocasionalmente, burlándose de la forma en que se deshizo de las calles desiertas. Detritus del día cayó en la brisa, burlándose de él con su libertad basura. El viento se abrió paso bajo su gabardina, serpientes frías deslizándose por su piel.

———

"Lo siento, sí, sé que es tarde. ¿Puedes ver si está disponible?"

La enfermera Zanna Vasiljev llegó a la puerta después de mucho tiempo. "¡Usted! Por favor, pase."

Ella lo llevó a pasar los vestuarios hacia el área de empleados, Maris e Ilsa habían tomado esta ruta para salir del edificio. Las paredes estériles pintadas de verde institucional seguían siendo impermeables al sentimiento. El piso reflejaba una iluminación indiferente. Los olores antisépticos resistieron la comodidad de la ocupación humana. El silencio del mausoleo ensordecía los sonidos de la alegría de la infancia.

—¿En qué puedo ayudarte? Cuando se lo dijo, la enfermera Vasiljev lo miró con curiosidad. —Su colega vino ayer y pidió los videos de seguridad, insistió en los originales, de hecho.

—Y ya no los tienes. No era una pregunta.

—No, no lo tenemos.

Maris dio un guiño. "¿Qué pasó con las copias?"

—Ella insistió en que las destruyéramos. Regulaciones de la División de Angustia, —dijo.

Llegó antes de que yo, pensó, se volvió para irse. ¿Qué pasa con los otros sitios?

—¿Adónde vas?

—Gracias, enfermera Vasiljev, ha sido de gran ayuda. Póngase en contacto conmigo inmediatamente si regresa, por favor.

Miró su tarjeta de comunicación. "Homicidios? ¿Quieres decir que Edgar Sirmais fue asesinado?"

—Sí, enfermera Vasiljev. E Ilsa Janson es buscada para interrogarla.

—Pero ¿por qué...?

—¿Por qué, de hecho? Gracias por su tiempo.

El magnamóvil que atrapó afuera lo llevó directamente a su destino.

El trueno de vaciado de pulmón todavía se pisoteó en su pecho. Luces arremolinadas en profusión deslumbrante. En la pista de baile, unos cuantos invitados primeros fueron a ella, sus mastoides brillan con dongles activos, pero muy pocos cuerpos para darse un buffet con cocteles calientes, como la última vez.

—¿Videos de seguridad, de cuándo? —preguntó el gerente, con la boca cerca de la oreja de Maris.

Invirtieron la posición, y él le dijo.

—No los mantenemos tanto tiempo, lo siento.

Tomó el suborbital a mitad del planeta a Telsai. Dormía la mayor parte del camino, llegando al almacén de pruebas de ventanas escarchadas al lado de la comisaría justo después de la medianoche. Su siguiente destino debería haber sido Plavinas Incubation, pero él optó por perseguir ese último, adivinando que Ilsa había purificado o destruido los videos de seguridad allí.

—Muceniek, ¿eh? —preguntó el secretario de pruebas, el único empleado en esta hora.

—Pensé que la Coalición se hizo cargo de todos sus casos después de esa atrocidad en Plavinas Incubation.

—¿La evidencia sigue aquí?

—Sí, lo está. Eso es lo que no entiendo.

—Debe haberse perdido, —dijo Maris.

—Vuelve. El secretario lo dejó entrar en el almacén. —¿Qué estás buscando, específicamente?

—Cualquier video de seguridad de las instalaciones de Muceniek justo después de que se llamara a los TEM.

Filas imponentes de estantes de almacenamiento se elevaron al quinto piso, un ascensor en cada lado. Maris contó diez filas, cada una de noventa metros de largo. El secretario lo llevó a una sala de examen. "Aquí, Detective. Te conseguiré los videos de seguridad".

Maris se sentó en una silla institucional sólida destinada a la durabilidad, no a la comodidad. Nadie se había sentado en una por mucho tiempo. La mesa era similar, su superficie puntuada por las esquinas de mil contenedores de evidencia. Las paredes evidenciaban la multitud de contenedores lanzados contra ellos a pesar de la multitud de intentos de oscurecer las abolladuras con pintura. El suelo estaba desnudo, unas cuantas hendiduras en plasconcreto solido desafiando las protestas de impermeabilidad.

—Hay más cámaras de seguridad en la casa de Muceniek que un insecto tiene ojos, —dijo el secretario, trayendo un lector y un contenedor de cubos de datos. "¿Un poco de café?"

—Si no es un problema.

—Voy a necesitar un poco yo mismo antes de que acabe la noche.

Maris miró en el contenedor, vio varios cientos de cubos. "Sólo quiero los que son después de que se llamaran a los TEM."

—Son esos. Dos contenedores más de antes.

Él sonrió. "Gracias."

Maris se asentó en el tedio. Este fue el trabajo de detective en su corazón, no el tipo representado en novelas porno basura, películas de cine negro, de misterio inmersivo, procedimientos policiales, y películas de la tienda de dólar. Representaciones ficticias glorificaron los momentos emocionantes e ignoraron la rutina.

Debe haber estado en su tercera taza, con los ojos sangrantes, cien cubos de datos a un lado que no contenían nada, el lector caliente, el respiradero rugiendo para mantener la habitación fría, cuando tropezó con el que quería.

El coleccionista de óvulos Karlen Araj yacía semiconsciente en el suelo del pasillo en medio de los pedazos de una puerta astillada, sangrando profusamente de su ano.

Un oficial de la División de Aplicación Reproductiva llegó, miró por encima de la escena y le llamó por encima de su hombro: "¡Emergencias, inmediatamente! ¡Omale inconsciente!" Se volvió hacia la cámara de seguridad.

Maris congeló la imagen. Ilsa.

Miró de cerca a la cara para asegurarse de que la hermana de la guardería tenía rasgos similares. Extendió dos dedos por la pantalla, expandiendo la imagen para incluir sólo su cara. "Biométrica", murmuró en su trake.

—Análisis, —dijo una voz indiferente en su audífono.

El video comenzó de nuevo para capturar más características, la cara restante en el cuadrado.

—Análisis completo, —dijo la voz. Ilsa Janson, Ofem I5548J6259, cultivada el 12 de enero de 3224, saldo de contrato actual de Ls 52.649, estado actual desempleado, último empleador Incubación Plavinas, paradero desconocido.

Ilsa se arrodilló junto al colector de óvulos Omale y puso su índice y sus dedos medios a su carótida. Luego miró en ambos sentidos a lo largo del pasillo, se dio vuelta a la cámara de seguridad y sacó una inyectadora de su bolsillo.

Lo que ella hizo con la inyectadora, él no podía ver, la vista bloqueada por su cuerpo. Parecía que lo usaba en el Omale y luego lo deslizaba en el bolsillo trasero de su uniforme. Momentos más tarde, se unió a un compañero de emergencias.

Excavó en los cubos de datos, tratando de encontrar otro video de seguridad del corredor desde un punto de vista diferente. Al vaciar el contenedor, su búsqueda no produjo nada, se dio cuenta de que en las ventanas estaba creciendo luz.

Si tengo suerte, pensó, puedo atrapar a Urzula antes de que crezca las garras de hoy. Maris copió el video de seguridad que había encontrado y cargó el resto de nuevo en la papelera.

—Sólo déjalo, Detective, —dijo el secretario. "Yo me encargaré de ello."

—Gracias por el café. Saludó y se fue.

Sintió crujir las puntas nerviosas de la conciencia. Líneas afiladas del amanecer grabado un diseño enredado a través del cielo. El aire de rocío se asentó en las aceras de plasconcreto, dejando un rastro de humedad culpable. El quejido ocasional de un magnamóvil lamentaba el día que se acercaba al trabajo de romper pelotas. Los escalones hasta las puertas del recinto amonestaron su larga ausencia.

La última vez que vino aquí, el teniente Balodis lo había enviado a un interrogatorio con un coronel de la Coalición para detenerlo, cuatro peleas para asegurarse de que cooperara.

Su oficina parecía poco diferente, algunas cosas fuera de lugar, pero la mayoría del caos intacto. Más desconcertante era la cantidad de tiempo que había pasado desde que estaba aquí. No podía creer que la Coalición no hubiera dado la vuelta al lugar en busca de pruebas de sus investigaciones activas.

¿Por qué no saquearon su oficina?

Agarró la navaja y el cepillo de dientes que guardaba en un cajón, se las acercó a la cabeza examinarlas rápidamente, devolvió los artículos a su escritorio y salió por la puerta antes de que llegara el teniente Balodis.

Afuera, pidió un magnamóvil para la oficina del forense.

CAPÍTULO DIECIOCHO

URZULA EZERGAILIS, FORENSE, MIRÓ HACIA arriba mientras se bajaba del ascensor hacia el vestíbulo.

—¿Qué estás haciendo aquí ya? —preguntó.

—Esperándote, —dijo ella.

—Lacónico como Urzula, —respondió Maris. —Escucha, Urzy, tengo un video de seguridad mostrando a un sospechoso administrando una inyección de algo en la víctima Muceniek. ¿Aún tienes la carne?

La ceja subió sobre su frente y el labio se acurrucó en el canino.

Por un momento, estaba seguro de que estaba desayunando.

—Vamos a echar un vistazo. Ella lo dejó entrar

por la puerta y lo llevó hacia el casillero de carne. —Te metiste en un poco de problemas con la Coalición, he oído. ¿Te dejaron salir por buen comportamiento?

—"Si claro", bromeó él. No le sorprendió que no lo persiguieran. Había sido una detención extrajudicial, sin cargos, sin juicio, sin sentencia.

—Eres tan bueno en eso, me sorprende que te hayan detenido en absoluto.

—Alabado sea el maestro de la denigración. ¿Se está ablandado en su senescencia?

—Estaré haciendo cosas por aquí con catéteres y colostomías mucho después de que estés insensato en un ancianato. Aquí llegamos. Urzula se acercó a una columna de cajones y abrió la parte inferior. Veinte columnas más de cajones, Maris contó antes de rendirse, generalmente lleno.

La losa se deslizó hacia afuera, una nube de niebla que se disipó. Motores gimieron cuando la losa se elevó a la altura de la cintura. Ella sacó hacia atrás la sábana. La cara cerosa de la coleccionista de óvulos Karlen Araj amonestó a Maris por no haber encontrado al asesino. Ojos azules nublados miraban el techo estéril, centrados en encontrar ese lugar de descanso final. Los brazos a los lados juraron que el cadáver permanecería para siempre en la atención.

—Abdomen, es mi suposición, —dijo Maris.

El forense dio un resplandor desde el techo. La carne fría brillaba como si con fosforescencia. Una pequeña mancha roja justo encima del ombligo apareció bajo su examen.

—No vi eso, la primera vez. Ella trajo su mirada hacia él. "Estaré en esto por un par de horas. Has estado despierto toda la noche, ¿verdad? Hay una losa vacía allí en la que puedes dormir la siesta, o puedo poner un colchón en mi oficina".

—Probablemente me confundirían con un cadáver, así que será mejor que tome el colchón.

—Buena idea. ¿Quién es el sospechoso?

—Ilsa Janson.

Urzula parpadeó sobre él. —¿Tu novia? No me jodas, Maris.

—Voy de imbécil todo el rato, ¿no?

—A menos que te apuntaran.

La declaración colgaba entre ellos, lo helado de su declaración lanzando una nube de sospecha.

—Sí, —dijo, ya no es capaz de descartar el pensamiento. La negación se despegó como la cebolla, y en el corazón de su autoengaño acechaba la oscura verdad: Ilsa no lo amaba, nunca lo había hecho.

—Ve a buscar a Jana por ese colchón. Duerme un poco.

Hizo lo que ella le pidió, su cerebro se convirtió en lodo, y se durmió al instante.

Un temblor lo despertó, y se sentó.

—Tengo algo, —dijo Urzula, acomodándose en su silla. —Rastros de nanoquina dentro del sitio de punción.

Se limpió la somnolencia de sus ojos y asintió con la cabeza. —Suficiente sospecha para detenerla. Reenvía esos resultados al teniente con el video de seguridad, ¿quieres? Tengo dos sitios más que investigar.

—Ciertamente. ¿A dónde desde aquí?

—No le puedes decir a Balodis si no sabes, ¿verdad? Intercambiaron una sonrisa, y se puso de pie. Seis horas en una silla con evidencia lo habían dejado dolorido y magullado.

—Cuídate la espalda, Maris.

—Gracias, peluche.

En la acera frente al edificio del forense, se subió a un magnamóvil y se instaló para un viaje en hora pico, veinte minutos para recorrer una distancia que debería haber tomado cinco.

El apartamento elegante, de nueve pisos y de gran altura parecía diferente sin una partición naranja de la escena del crimen en frente de ella. Su mirada fue instantáneamente a la cima, donde Ofem Liene Ozolin había comenzado su descenso fatal.

El ascenso inmóvil en el ascensor asistido anti gravitacional lo llevó al techo en momentos.

¿Qué voy a encontrar aquí? se preguntó, saliendo hacia el techo de gravilla, el sendero largo y frio.

El viento le golpeó, como tuvo que haber golpeado a la Ofem especializado, modificada genéticamente con vesículas en la boca y la vagina. Orientada a la feminidad, ella había pagado la de ella y a la de su amante, se había casado y había vi-

vido una vida ostentosa, teniendo relaciones sexuales con hombres para recoger sus espermatozoides, una ocupación lucrativa y torturadora.

Se acercó al lugar del que se había caído, donde habían encontrado charcos de proto. El examen de Urzula había revelado una infección por nanoquinas en las plantas de los pies, pero sólo en las plantas.

Suelas.

Las nanoquinas se habían comido a Eduard Sarfas desde las suelas hacia arriba.

Maris miró alrededor del techo y vio una sola cámara de seguridad montada cerca de la puerta. Como en una señal, se giró hacia él.

Momentos después, la seguridad del edificio apareció. "¿Qué estás haciendo aquí arriba?"

—Policía. Maris volteó su placa.

—Oh, —dijo dudosamente. —¿Alguna cosa con la que pueda ayudar?

—¿Por cuánto tiempo mantienes los videos de seguridad?

—Un par de años.

—Quiero los de la noche en que nuestro pájaro pensó que podía volar.

—Ciertamente. Por aquí, por favor. Ella le hizo un gesto para que lo siguiera y lo llevó a una sala de vigilancia en el sótano, bancos de pantallas de videos a través de una pared, un gran monitor en el centro.

Encontró la señal del techo. "No, no esa", dijo,

recordando los zapatos en el vestíbulo del noveno piso. “La puerta del pent-house.”

El guardia de seguridad asintió, y el monitor central cambió, el video andando rápidamente hacia atrás.

Una impresionante joven se acercó a la puerta, se quitó sus zapatos junto a ella, y pisó la alfombra delante de ella para poner su ojo en la retina.

—Avance rápido hasta la llegada de la policía.

El video corrió hacia adelante. El tapete desapareció.

—Ahí, —dijo. —Ahora hacia atrás, y lentamente.

El video mostraba una figura devolviendo el tapete a su lugar, una figura ligera vestida con fedora y gabardina. “Ahora adelante, por favor.”

Unos minutos después de que el impresionante Ozolin entrara en el ático, la figura con gabardina se bajó del ascensor y quitó el felpudo. Una nariz delgada y recta por encima de los labios deliciosos acechaba por debajo del fedora.

—Retrocede unas dos horas a alta velocidad.

La escena se tambaleó hacia atrás, sin cambios durante un tiempo antes de la aproximación de Ozolin. Entonces una sombra cruzó la escena. Más despacio, mostró la figura en fedora y gabardina rociando algo en el tapete.

—¿Puedo pedirte un favor? A su guiño, agregó: “Envía todos los videos de seguridad del edificio de ese período de veinticuatro horas al teniente Balodis”.

Maris le dio las gracias y se fue desde el edificio. Los pisos superiores lo invitaron a echarles un vistazo una vez más antes de entrar en el magnamóvil.

El espíritu de Liene Ozolin se quedó por mucho más tiempo de su partida.

CAPÍTULO DIECINUEVE

MARIS LLAMÓ A LA PUERTA DE LA PEQUEÑA CASA suburbana del profesor Bernhard Vitol sentada en su pequeña parcela de tierra. Las pintorescas cabañas en una variedad de estilos y colores con lunares el paisaje prosaico, ninguno de ellos palaciego, todo en pequeños cuadrados de tierra, cinco centésimas de un acre. ¿Cuánta tierra necesita una persona? se preguntó. Al final, él sabía, sólo seis malditos pies.

Después de un minuto sin respuesta a su toque, Maris fue por atrás.

—¡Tu maldito charco de esperma! Se puso al día con el Bremale yendo hacia el porche de un vecino, el hombre tan obeso que no pudo haber llegado lejos de todos modos. "Estás al día de tus donaciones y no tienes ninguna orden. ¿Qué pasa?"

—¡Suéltame, Satanás! No me llevarás al infierno

como todos los demás. Vitol retrocedió de Peterson como un sacerdote del mal, sudando en su cara de color rosa brillante, respirando, rugiendo como un fuelle de fundición. "¡Eres una maldita plaga! ¡Escuché lo que le pasó a Juris!"

Maris parpadeó hacia Bernhard y negó con la cabeza. "¿Qué mierda?! Él fue asesinado, Vitol. ¿Qué quieres, custodia protectora? ¿Un maldito nanoescudo?"

"Sólo déjame en paz. No te acerques a mí. Todos los que conoces están muertos.

Decidió que no iba a conseguir la cooperación del profesor, no importa lo que hiciera. "Estás bajo arresto por obstruir una investigación. Ponga las manos en la parte posterior de la cabeza."

—Pruébame y fríeme, ¿quieres? Bernhard se volteó y levantó los brazos.

—Estaría feliz de sacarte de mi miseria. Sólo responde a mis malditas preguntas. Maris lo esposó con brazaletes de glasma, pero no pudo hacer mucho por los anillos de sudor y el hedor rancio de manteca de cerdo. No había una sala de limpieza en la estación lo suficientemente grande para la circunferencia del profesor. Los de detención me van a amar, pensó.

El magnatrasporte llegó en minutos, la misma marca y modelo en el que intentaron enviarlo a la prisión de Patarei. Los de uniforme no estaban contentos. "¿Qué coño, Detective? ¿Cómo vamos a detenerlo? ¡No podremos respirar!"

Maris se encogió de hombros con ellos. "Échenle agua en el estacionamiento." Convocó a un carro maga y lo llevó a la estación, dio la vuelta a donde estaban descargando al corpulento Bremale.

El tanque de detención era una cacofonía constante, pero de alguna manera, se hizo más fuerte cuando Vitol fue añadido a la mezcla. Vitol se aferró a los barrotes, los otros detenidos enyesaron las paredes tan lejos como pudieron. Olor de cuerpo sin lavar se filtra en todo el edificio.

—Pensé que te olía, Peterson, —dijo el teniente Balodis cuando Maris entró en su oficina.

—Mi nariz está solicitando una compensación de trabajadores, —dijo, señalando su fea taza. —¿Por qué no puedo poner un cascanueces en sus testículos? Gordo como él, pensarías que se le prohibiría reproducir. Sacudió la cabeza y se sentó en la silla frente a ella.

—El juez dice que no es suficiente para arrestar a tu novia, dijo Balodis. "Cerca, pero no lo suficiente. Ella no va a caer".

—Eso es lo que iba a ver con Vitol, pero luego se arremolinaba sobre mí. No puedo atar los cabos sueltos. ¿Cómo logró Ilsa iniciar una campaña de esterilización de una sola mujer?

—Siempre queriendo que alguien haga tu trabajo por ti, Maris, —dijo el teniente. —Eres el imbécil más perezoso que he conocido.

—Guarda los elogios para mi revisión de trabajo.

¿Cómo supo de Ozolin y Araj, especialmente tan pronto después de una colección?

—¿No llevan sus colecciones a la clínica de fertilidad?

—¡Eso es todo! Saltó de la silla y se arrojó en sus brazos. —Consígueme una orden, ¿quieres?

—Mantén tus manos lejos de mí, y es un trato.

En momentos, salió por la puerta y llamó a un magnamóvil.

La Clínica de Fertilidad Telsai se encontraba a medio camino entre la comisaría y la oficina del forense. Cinco pisos de glasma sin marco miraban ciegamente a los edificios circundantes, ocultando su propósito. El magnamóvil se detuvo en la entrada vertiginosamente, trayendo una corriente constante de recipientes completos, quitando Ohumes vaciados de su óvulo y esperma.

En el interior, la modernidad chocó con la esterilidad. Los trajes blancos llenaban el lugar entre paredes blancas hacia puertas blancas a habitaciones blancas, escoltando a Ohumes de un lado a otro. Los carritos criogénicos pasaron, derramando vapor frío en pisos impecables. Aquí, Karlen Araj se había acostado hasta la muerte. Aquí, Liene Ozolin había depositado su colección antes de engrasar el pavimento en casa. Encontró la esterilidad de la fertilidad desconcertante, los alrededores chocando con la fecundidad que propagaban.

El director de Seguridad de la Clínica, Dagnija

Krumins, lo miró desde un escritorio prístino. "Sí, la conozco. Ilsa solía recoger los envíos para Plavinas Incubation. Una atrocidad, lo que pasó ahí fuera. ¿Por qué lo preguntas?"

—¿Ella tiene acceso a sus archivos?

—Por supuesto que no. Krumins estaba erizado, como puercoespín en su silla, endureciéndose en la defensiva. "Completamente confidenciales, nuestros archivos. ¡Completamente! Cumplimos con todos los protocolos de confidencialidad de la Coalición".

Los mismos que regían la investigación del profesor Bernhard Vitol, Maris estaba seguro, las tasas de fertilidad y las proyecciones se mantenían tan profundamente en secreto que estaban siendo asfixiadas. "¿Y qué tan atrás llegan sus videos de seguridad?"

—Siete años, según las regulaciones de la División de Cumplimiento Reproductivo. Detective, lo que está sugiriendo es escandaloso. No hay manera para que alguien que no es empleado acceda a nuestros archivos. No sucedió.

—Entonces un empleado lo hizo. Envió por neuramail la orden que el teniente Balodis había obtenido para él al director Krumins. —Su sistema de archivos de donación es evidencia ahora. Cualquier alteración entre ahora y su transferencia dará lugar a cargos de manipulación de pruebas. Además, todos los comunicadores, audífonos, pantallas y neuramails del personal dentro y fuera del tiempo de la compañía que se remontan a un año también son evidencia.

La mujer frente a él se puso blanca como su clínica. El cascaron de una pistola blasma se deslizó de la seguridad, su cañón le apuntaba.

Otra de seguridad se puso detrás de él y un barril caliente se presionó contra su sien. Una mano vació su funda de la pistola blasma.

—Se acabó el juego, Maris, —dijo Ilsa con su voz en el oído.

CAPÍTULO VEINTE

El agujero que cavaste, la cama que hiciste, las cartas que te reparten, la prisión que construiste, la esquina en la que te arrinconaste. Todas las frases de culparse a sí mismo inventadas cayeron en cascada a través de su mente.

Ella tiró sus brazos detrás de él y lo esposó. "Lento, Maris. Si te mueves demasiado rápido, mueres. Ponte de pie."

La pistola permaneció en su cuello mientras se levantaba con las esposas. Gritó, de pie con ella, la tensión del hombro exacerbada por su reciente encuentro en el callejón. El punto caliente de su pistola blasma se quemó contra su cuello. El punto caliente de su pecho ardía contra su espalda.

Toda multitud de cosas penosas que podría decir parecían trilladas. "No te saldrás con la tuya", era un cliché de un detective. "Habríamos hecho una pareja fabulosa", era un sello de goma de novela romántica. Decidió él con ironía. "¿Vamos a bailar de nuevo?"

—Muévete, cara de idiota —dijo Ilsa dirigiéndolo hacia la puerta.

Una camilla se deslizó en la habitación desde la oficina exterior, un Omale bien musculoso ordenado en cada extremo.

—Sube boca abajo, —dijo.

Cumplió, y le tiraron una sábana, tirando de ella hasta el cuello. Probó su comunicador y sólo estaba estático. Por supuesto, tenían un escudo de distorsión a mano.

Se embolsó la pistola en la parte delantera de su traje, pareciéndose a cualquier empleado con trajes blancos estériles. La punta de la pistola se azotó hacia él. —Un movimiento equivocado, y la recibirás.

—¿Es una pistola en tu bolsillo, o eres sólo estás feliz de verme?

—Jódete, Maris.

Los cuatro "empleados" de bata blanca escoltaron al "paciente" en la camilla hacia el pasillo, su zumbido se unió al zumbido silencioso de la actividad regular de la jornada laboral. Se dirigieron a un ascensor, que el grupo mandó a para ellos mismos.

Cayeron al garaje del sótano. Allí, una ambulancia magna esperada, los emblemas embelesados sus lados elegantes dándole el aire de la oficialidad. Lo cargaron atrás, Ilsa y un matón ordenado se quedaron atrás. En la cabina, Dagnija Krumins tomó el lado del pasajero, el otro matón ordenado conduciendo. Fijaron la camilla al piso de goma corrugado, que se extendía ininterrumpidamente entre la carga y la cabina, Maris vio, calculando la distancia.

—Tápale la boca —dijo Krumins desde la cabina, medio girado hacia ellos.

—Prefiero oírlo lloriquear, —dijo Ilsa.

Maris sintió el acuerdo entre las dos mujeres, sus acciones hasta ahora se coordinaron con una palabra, como si hubieran estado trabajando juntas un tiempo. Eso, o eran íntimas.

—¿Lloriquear acerca de qué? ¿La forma en que me dejaste con un corazón pesado y una polla mojada?

Ilsa le dio un vistazo a Dagnija. "¡No tengo...!" gruñendo, ella se posicionó por encima de él. "Ponlo sobre su lado", le dijo al matón voluminoso. Sonrió y rodó Maris. Ilsa hundió una cruz directo a su mandíbula.

Un rayo le disparó el cerebro, y un cielo estrellado amenazó con tragarlo en la oscuridad. Pero se enteró de lo que necesitaba saber.

El movimiento y el aumento del paso del motor indicaban que chocarían con una vía principal. Se preguntó a dónde se dirigían. Todo ese planeta de Ohumes liberado que había descartado hace días como una fantasía descabellada podría no ser la leyenda quimérica que había supuesto. "¿Vas a alimentar tu apestoso capullo con mi proto?"

—¿Y difundir tu enfermedad? Ilsa esnifó. "Vamos a pintar nuestros letreros con tu proto y te haremos un chico modelo. Vamos a perfeccionar nuestras nanoquinas experimentando contigo. Muceniek fue una prueba. Una vez que consigamos que las nanoquinas se propaguen como una enfermedad venérea, eliminaremos los centros de incubación y a los Brehumes a través de la galaxia en cinco años, y entonces seremos todo lo que queda a la humanidad, sólo Órgano-humes. Tú y tus hermanos Ihume morirán, y nos libraremos de los contratos para siempre. Y luego tendremos nuestra Órgano-topía".

Maris pensó en los videos de seguridad que había visto en Sabile Nanobio Research, en la que Ilsa se había frotado los pies en la alfombra frente a Eduard Sarfas, quien momentos más tarde se acercó a esa misma alfombra. Y el vestíbulo del apartamento de Ozolin y la alfombra en la que Ilsa había rociado las nanoquinas. Y los espermatozoides recogidos por Ofem Liene Ozolin, más tarde entregados a la Plavinas Incubation. Y el agujero limpio de cinco centímetros administrado por Valdi Muceniek. Y el óvulo recogido por el Omale Karlen Araj, más tarde entregado a Plavinas Incubation. Y la comida china condimentada con un toque de nanoquinas. Y las nanoquinas que el chico, Edgar, casi había llevado a Desarrollo de Plavinas. Y el tubo de nanoquinas dado al camarero Omale. Y las nanoquinas pusieron en el café de Raihman por la figura en fedora y gabardina. Todos los experimentos en la entrega de nanoquinas. Y Maris pensó en el punto de fertilidad de Vitol en el plano estadístico. "Está sucediendo de todos modos, tonta."

La mirada de Ilsa se cerró.

—Sólo está tratando de molestarte, Ilsy, —dijo Dagnija.

La intimidad le daba náuseas. "No has visto las regresiones de fertilidad. Con el tiempo tendrás tu Órgano-topía. ¿Por qué seguir esta ruta? El reciclaje es todo lo que obtendrás de esto. Y no traerá tu paraíso más rápido". Sabía que no podía convencerla, su única esperanza de distraerla.

Ella le sonrió, moviendo la cabeza. "Apestas a propagando como todos. La Coalición no lo reconocerá. ¡El paraíso está cerca, te lo digo! Los sistemas capitulan diariamente a nuestro control debido a una resistencia como la nuestra".

No sirve de nada discutir con un ideólogo. El debate nunca convenció a los tontos convencidos de su propia justicia. Las consecuencias naturales a veces lo hacían, pero sólo a veces. "Y cuando terminen con Brehumes e Ihumes, volverán su persecución sobre ustedes mismos. Los contratos estarán justificados. Se engañarán a sí mismos, la desigualdad es inevitable. Primero serán los tontos, como esos hermanos Digris que encontraron tan conveniente para sacrificar. No necesitaban morir, y lo sabes".

—¡Cállate, maldito idiota!

—Y todos esos niños Ihume en Desarrollo de Plavinas. ¡Esos niños de la guardería no te hicieron nada! Estaba gritando. —¡Te llamarán Ilsa la Sangrienta, la reina del reciclaje, y serás conocida sólo por el caos que hiciste, no por los Ohumes que liberaste! ¡Denigrada para siempre! Eso es todo lo que vas a...

—¡Cállate! Ella se abalanzó sobre él, se abalanzó sobre la camilla, y se le fue un fusil.

Maris se retorció de lado a lado, en un rizo fetal, con las piernas resbalando debajo de la correa de la pierna. Le dio triples golpes en la cara, le puso las dos rodillas en el trasero y la envió volando sobre su cabeza. Luego pateó el Omale ordenado en el cuello con un pie, retorcido y atado con el otro pie, atrapando la mandíbula. El Omale se cayó al suelo.

Ilsa se estrelló contra Dagnija, ambos cayendo sobre el conductor, y la ambulancia magna se estrelló en el tráfico que se aproximaba. La cabina explotó, los airbags se desplegaron y el mundo se desintegró alrededor de Maris. La densa nube de globos se contorsionó a su alrededor, y el vehículo se detuvo.

No estaba seguro de si perdió el conocimiento. Voces y sirenas lo estremecieron, luego el movimiento como alguien tratando de extraerlo. Encontraron la captura para liberar la camilla y lo transportaron, afortunadamente erguidos, del compartimiento trasero de la flamante magnambulancia.

—Aquí, déjamelos, —dijo una voz familiar.

—¿Filip? Dukur, muchacho, ¿eres tú? Maris no reconoció su propia voz.

—í, Detective. Tengo una llave de pulsera de repuesto. Bonito collar. ¿Quién se los regaló?

—Ese collar es tuyo, Dukur. Será mejor que alguien te consiga una correa. Sin esposas, Maris se tambaleó alrededor de los restos hasta el frente. Dukur lo siguió como un perro.

Maris encontró a Ilsa acostada a la mitad del capó, casi cortada por la mitad por el parabrisas, en entrañas que se derraman de una gigantesca herida en el abdomen. Los tres cadáveres estaban apilados debajo de ella, todos los cuerpos habían volado hacia adelante.

—Mare... Su mirada ya estaba cristalizándose.

—Ilsy, —dijo, acunándole la cabeza, maldiciendo con clichés. —¿En serio? ¿Era tan importante que tenías que tirar tu vida? Podríamos haber sido felices. ¿Qué te hizo hacerlo?

—Mare... imbécil auto engañado, —susurró. —Siempre serás un agente del opresor. Y nunca lo sabrás...

—Ilsa, le suplicó, un sollozo que se le escapaba, "Ilsa, no... no..."

Pero ella se fue a unirse a ese gran grupo de proto en los cielos.

Las consecuencias naturales a veces convencían incluso a los tontos convencidos de su propia rectitud.

He sido tan tonto, pensó Maris.

La nube de rayas rojas lloró la lluvia desde el cielo oscuro. Brisas de culpa en el viento cortaban a través de su gabardina. Las ventanas de los edificios se volvieron miradas desdeñadas sobre él. Los carros magna susurraron sollozos al pasar. El altivo horizonte lo humilló, su orgullo destruido, su espíritu caído.

—Tentador, ¿no? ruidos de zapatos peleando en la azotea se burlaron de él con la risa.

Miró por encima de su hombro desde el parapeto.

Urzula estaba allí, con los hombros desplomados y un traje sin forma. Detrás de ella, delineado en la puerta que conduce al techo, el reportero cachorro Filip Dukur, jadeando ávidamente. El profesor Bernhard Vitol acechaba detrás de él, llenando el pasillo de la escalera.

El suelo de abajo atrajo a Maris con alivio y redención.

—¿Viste los titulares? —preguntó Urzula.

Estaba por todo el neuranet. Prácticamente se había engatado sobre él, se inyectó en su cerebro. Lo elogiaron, pero se sentía como una persecución. Lo elogiaron por una mentira. Lo que había hecho, lo había hecho para sobrevivir. Cien mil Ohumes habían sido sacados de la clandestinidad y regresaron a sus contratos, en gran parte debido a su trabajo, una mancha de salvación de tercer grado que cubre el ochenta por ciento de su alma. "Todo es una mentira", respondió.

—No todo, —dijo la forense —Ozolin sebe haber sentido de esa manera también. Pero ni siquiera ella dio el paso por su cuenta.

Ella no había dejado que la derrotaran, Maris oyó. Parpadeó sus lágrimas y suspiró. "Ilsa merecía algo mejor."

—Tal vez, —dijo Urzula. —Y tal vez, Maris, ella tuvo un momento o dos de paraíso contigo.

Se había sentido en el paraíso, ahogándose en su amor. Cualquier otra cosa que Ilsa pudiera haber sentido por su amante femenina, la pasión que habían compartido era la espesa inmersión del abandono total, llegando al lugar en su alma donde el universo lo tocó con toda su regeneración creativa.

Sentía que la había defraudado, en un sentido extraño y pervertido. Tal vez fue su traición a él que había invertido por culpa de sobreviviente. ¿Por qué sigo aquí? ¿Por qué murió ella, y no yo?

El salto susurró que era mejor allí abajo. Sólo el impacto dolería, el viento silbaba. Más cliché, pensó, y más formas de huir de la culpa, la traición, el dolor. Odiaba vivir el cliché. Mejor haber amado y la basura feliz que sigue.

No había manera de huir del dolor. Llevar a su

proto a un charco y ver el pavimento con su grasa no tomaría la mancha de su alma. La redención no brotaba de una acera.

—Oye, Maris, llamó Bernhard, —¿qué tal unas papas fritas? Las reales.

—¿Sí? ¿Quién invita?

—Yo, amigo.

Esnifó y cerró los ojos. "La redención no se puede encontrar en el pavimento, ¿verdad, Urzula?"

—No desde ninguna altura, Maris.

El detective Maris Peterson miró una última vez la calle haciendo señas abajo. "Entonces es mejor que haya algo de redención en una porción de papas fritas."

Querido lector,

Esperamos que hayas disfrutado leyendo *Órganotopía*. Tómese un momento para dejar una reseña, incluso si es breve. Tu opinión es importante para nosotros.

Atentamente,

Scott Michael Decker y el equipo de Next Charter

ACERCA EL AUTOR

Scott Michael Decker, MSW, es un autor por vocación y un trabajador social por profesión. Es autor de más de veinte novelas en los géneros de ciencia ficción y fantasía, entre los subgéneros de la ópera espacial, biopunk, espionaje-ficción, y espada y hechicería. Su mayor fantasía es desear que lo publiquen. Cuando le preguntan sobre el MSW después de su nombre, el autor afirma que representa Maestría en Trabajo Social, y no "Residuos Sólidos Municipales", por sus siglas en ingles. Su cita favorita es: "Scott es un novelista de trabajo social, quien nunca tuvo tiempo para una vida" (disculpas a Billy Joel). Vive y sueña felizmente con su esposa cerca de Sacramento, California.

Organotopia
ISBN: 978-4-86747-657-4
Edición de Letra Grande en Tapa dura

Publicado por
Next Chapter
1-60-20 Minami-Otsuka
170-0005 Toshima-Ku, Tokyo
+818035793528

24 Mayo 2021

Lightning Source UK Ltd.
Milton Keynes UK
UKHW012044110621
385375UK00001B/52